D0234916

TRISTE AMÉRIQUE

Ouvrage publié sous la direction de Laurence Lacour.

Triste Amérique se prolonge sur le site www.arenes.fr

Éditions des Arènes
27, rue Jacob, 75006 Paris
Tél. : 01 42 17 47 80
arenes@arenes.fr

MICHEL FLOQUET

TRISTE AMÉRIQUE

LE VRAI VISAGE DES ÉTATS-UNIS

les arènes

PROLOGUE

JE SUIS ARRIVÉ AUX États-Unis à l'été 2011. Sans préjugés. Conscient de découvrir un pays dont je connaissais peu de chose. En 2004, j'avais suivi la campagne de John Kerry, ce grand patricien démocrate, francophile et francophone, élégant et racé. L'incarnation de l'Amérique que les Français aiment à aimer. Quelque temps auparavant, en 2003, j'avais passé près de deux mois *embedded*, incorporé, avec les paras de la 82e Airborne, la 82e division aéroportée. Celle-là même qui avait sauté sur Sainte-Mère-Église et s'apprêtait à en faire autant sur l'aéroport de Bagdad puis à ouvrir la route vers la capitale irakienne. Las, le sort des armes en avait décidé autrement. L'unité d'élite s'était retrouvée à sécuriser les arrières et les voies d'approvisionnement d'une guerre qui, décidément, commençait de travers. De Koweït City à Bagdad, j'avais vécu au milieu de ces petits Blancs engagés avant tout pour des raisons économiques, sans parler des Latinos qui venaient là, déjà, gagner leur naturalisation. Tous ces jeunes hommes, hostiles par principe à un pays, la France, qui non sans raison leur avait fait la leçon, s'étaient rapidement, au fil des épreuves partagées, révélés pour la plupart de braves types à mille lieues de la caricature de Rambo que leur pays aime à donner d'eux.

Un candidat malheureux, quelques soldats d'occasion, c'est peu pour se faire une idée d'une nation. Et pourtant, j'arrivais confiant. Comme quand on rend visite à la famille éloignée. Tous ces cousins qu'on n'a pas vus depuis des années, qu'on aura peut-être du mal à reconnaître, mais qu'on sent si proches, si familiers...

L'Amérique, c'est cela. Nous sommes convaincus de la connaître. Pire, nous croyons qu'elle nous ressemble. Comme le voisin de palier qu'on croise sans jamais l'inviter ni entrer chez lui. Il faut souvent qu'un drame survienne pour que nous réalisions que cet être si proche nous était totalement étranger.

L'Amérique, c'est ce mystère familier. Chacun a la sienne. Les plus malins en ont même plusieurs. L'Amérique des paysages à couper le souffle comme celle des campus, de Google, de Facebook. L'Amérique patricienne, Boston, la Nouvelle-Angleterre. Celle des mythes, de Kennedy à Bill Gates. L'Amérique de *Homeland* ou des *Sopranos*. L'Amérique que l'on moque, celle de George W. Bush, et celle de Barack Obama, qui séduit. L'Amérique qui nous a libérés et l'Amérique interventionniste, gendarme du monde.

L'Amérique martyre du 11-Septembre... L'Amérique remplit notre imaginaire comme aucun autre pays.

N'est-elle pas la plus grande démocratie du monde ? Le pays de la liberté, celui où tout est possible. Ne parle-t-on pas du « rêve américain » ? Quel autre pays aurait ainsi osé s'approprier le mot « rêve » ? Elle est donc unique et il faut qu'elle le soit, car l'Amérique demeure une référence obligée. C'est vers elle que nos intellectuels se tournent pour vérifier la vitalité de notre démocratie ou la santé de notre liberté de la presse. L'Amérique, terre de principes où tout le monde est à égalité devant la loi. « En Amérique, ce ne serait pas possible. » Combien de fois n'a-t-on entendu cela ? Dès qu'un homme politique français se fait prendre à frauder le fisc ou à rouler en scooter, dès qu'un journal complaisant oublie de souligner le conflit d'intérêts ou de poser la question qui fâche. Et c'est vrai que ça ne serait pas comme ça en Amérique. Mais ce serait comment ? Mieux, forcément mieux. Et tant pis si la presse américaine a fait du patriotisme une vertu journalistique au détriment de l'esprit critique. Et tant pis si une justice impartiale s'abat tout de même en priorité sur les faibles, les pauvres, les Noirs...

L'Amérique a une chance inouïe, nous ne voulons pas la voir comme elle est. Il y a des aveuglements de l'histoire parfois. Des évidences inaudibles. Comme lorsque Jean-François Revel dénonça, preuves en mains, le passé allemand de Georges Marchais. Il avait beau prouver documents à l'appui, que le chef communiste avait travaillé dans les usines

Messerschmitt jusqu'en 1944, personne ne voulait l'admettre. Et la Francisque de Mitterrand, discutée à l'Assemblée nationale après-guerre mais que tout le monde semble redécouvrir après deux septennats... Tel est notre regard. L'Amérique, c'est pareil. Elle peut faire n'importe quoi, elle trouve toujours grâce à nos yeux.

Peut-être parce que la plupart des intellectuels qui glosent sur les États-Unis en ont une vision datée. Le compteur semble s'être arrêté dans l'immédiat après 11-Septembre. Le pays martyr. Et encore, lequel ? Celui qu'ils fréquentent, New York ou San Francisco. Rarement Sioux City, Iowa. Et puis il en va des spécialistes de l'Amérique comme de toutes les chapelles. À regarder les idoles de trop près, on finit par ne plus rien voir...

Ce pays que je parcours depuis cinq ans, que je croyais si proche de nous, n'en finit pas de s'éloigner.

Ce qui frappe avant tout, c'est le degré de violence. Violence économique et sociale, violence dans les rapports entre les gens, entre les communautés, au travail comme dans la vie de tous les jours. Violence du sport, violences policières, violence tout court d'une société surarmée...

L'Amérique est le pays le plus riche du monde. Mais c'est aussi le plus inégalitaire. Malheur aux pauvres, c'est la vraie devise des États-Unis. Une fois pour toutes, l'appareil d'État à Washington a décidé de ne rien faire pour les plus démunis et d'en confier le soin aux bonnes œuvres, à la charité défiscalisée. Il ne manque pas de thuriféraires pour intellectualiser cet égoïsme de masse, lui trouver des justifications culturelles. C'est la défiance vis-à-vis de l'État, le goût de la liberté en quelque sorte, qui pousse à crier : « Malheur aux pauvres ! » Moins je paye d'impôts, plus je suis riche et plus je peux donner. Et donc, plus les pauvres sont heureux… Voilà le credo de la majorité des Américains.

Pour les plus pauvres des pauvres, les Noirs, le sport constitue très souvent le seul moyen de s'en sortir, ou même de faire des études.

Ils forment les gros bataillons, la quasi-totalité des pratiquants de haut niveau du football américain. C'est une religion nationale. Chaque année, le Super Bowl, la finale, draine devant la télévision plus de 110 millions de téléspectateurs, et le chiffre est en constante augmentation. Ce lointain cousin du rugby tient désormais plus des jeux du cirque que de la compétition sportive. Tous les pratiquants de haut niveau souffrent à un degré ou un autre de *concussions*, de commotions cérébrales. Malgré les casques, les protections, le sport mutile et tue. En 2013, 4500 anciens joueurs ont obtenu 765 millions de dollars de dommages et intérêts à l'issue d'une « classaction », une action collective en justice contre la NFL, la National Football League. La NFL qui provisionne des centaines de millions pour les procès à venir. Personne néanmoins ne songe à rendre le sport moins dangereux, à en modifier les règles. Il suffit de se garantir sur le plan financier et légal pour que le spectacle, surtout, continue. Et la relève est prête. Ce sont les bataillons de jeunes lycéens noirs.

En 2015, douze d'entre eux sont morts sur les terrains ! Dans quel autre pays ce « sport » serait-il autorisé à continuer de la sorte ?

Il faut dire que faire des études aux États-Unis, si l'on n'est pas riche, relève du défi. Le pays qui rassemble probablement le plus d'intelligence académique au monde, le pays champion des prix Nobel et des brevets, ce pays-là laisse son système scolaire partir à vau-l'eau. Les apparences sont trompeuses. Dans le célèbre classement de Shanghai, seize des vingt premières universités sont américaines. Berkeley, Stanford, etc. Mais ces établissements ne représentent en rien l'enseignement supérieur américain. Ils sont l'équivalent de nos grandes écoles. En dessous, c'est la faillite. Le taux d'échec y est supérieur à 50 %. Le coût des études prohibitif et l'endettement étudiant sont un gouffre à côté duquel la crise des subprimes fait figure de plaisanterie… Au lycée, ce n'est guère mieux. En fin de scolarité, 40 % des élèves, pas plus, ont le niveau pour entrer dans l'enseignement supérieur. Résultat, l'Amérique finit par manquer de cerveaux. Chaque année, elle vend 85 000 visas H1B, réservés aux détenteurs d'au moins un diplôme universitaire de quatre années ou d'une expérience professionnelle équivalente. Les entreprises de high-tech réclament à cor et à cri que ce nombre soit revu à la hausse.

La violence sociale et la violence économique recoupent bien souvent les lignes de partage communautaire. L'Amérique postraciale d'Obama est un mythe. Aujourd'hui encore, neuf fois sur dix, c'est un policier blanc qui tire sur un Noir désarmé. La moitié des jeunes afro-américains estiment d'ailleurs qu'ils n'atteindront pas l'âge de 35 ans. Cette perception de leur avenir est exagérément pessimiste, mais elle peut aisément s'expliquer par des considérations objectives. À commencer par le fait qu'un Noir sur trois né aujourd'hui ira à un moment ou à un autre de sa vie en prison…

L'Amérique est consciente de cette violence. Elle n'ignore rien du racisme de sa police, de la misère de ses 50 millions de pauvres, de ses tueries de masse. Elle sait que deux guerres mal conduites, l'Irak et l'Afghanistan, l'ont ruinée et ont ruiné son prestige. Elle voit ses vétérans mendier dans les rues, quand ils ne se suicident pas au rythme fou d'une vingtaine par jour, comme durant l'année 2013. Elle sait qu'elle engloutit plus de la moitié de son budget dans un complexe militaro-sécuritaire qui n'assure ni la victoire, ni la tranquillité. Résultat, il n'y a plus d'argent pour le reste, et notamment les infrastructures. Soixante-dix mille ponts sont à réparer d'urgence, les passages à niveau défectueux se comptent par dizaines de milliers (240 morts en 2014 !), des trains déraillent et les routes, y compris dans les plus grandes villes, sont truffées de nids-de-poule… Une partie de la population est consciente du problème mais une autre, majoritaire, y compris au Congrès où se situe le vrai pouvoir, ne s'en formalise pas.

« Pour comprendre l'Amérique, il faut comprendre les républicains », m'a dit un jour un ami, fin connaisseur du pays, avant d'avouer que, néanmoins, lui-même avait parfois du mal à s'appliquer cet adage.

Comment comprendre en effet des gens qui estiment que la meilleure riposte aux tueries de masse dans les écoles et les campus serait d'armer les professeurs ? Comment comprendre les mêmes qui pensent sérieusement qu'augmenter le salaire minimum, avec lequel il est impossible de vivre (à peine sept euros de l'heure), mettrait en péril la première économie mondiale ? Comment les suivre lorsqu'ils donnent systématiquement raison au policier qui abat le « suspect » non armé, parfois dans le dos, parfois même alors qu'il est menotté ? Comment accepter qu'ils choisissent toujours l'intérêt particulier contre l'intérêt général ? L'argent et le profit contre le bien public…

Les républicains sont la caricature de l'Amérique. Ils en incarnent les pires clichés. Mais ils n'en ont pas le monopole.

Quelles que soient les opinions politiques de la plupart des Américains, le matérialisme et l'individualisme constituent leur seul horizon.

Si l'individualisme se mesure difficilement, il se déduit assez bien du sort réservé aux plus faibles. Quant aux éventuels problèmes de conscience, ils sont pris en charge par les églises. La religiosité aux États-Unis est sans équivalent dans les autres pays de niveau économique similaire.

Le matérialisme, lui, peut se vérifier de manière objective à l'expansion récente d'un nouveau secteur économique : celui du rangement et du tri des objets inutiles. Il représente aujourd'hui 25 milliards de dollars de chiffre d'affaires avec toute une gamme de services pour gérer la surconsommation. Depuis des centres de stockage pour produits inutiles jusqu'aux accessoires et conseils pour reconquérir le garage envahi d'électroménager ou de télés non déballés ou bien les dressings dans lesquels plus personne ne peut pénétrer. Il était urgent d'intervenir car la folie consommatrice, décuplée par le « e-commerce » et le *one day delivery*, est sans limites. Un chiffre, un seul : aux États-Unis vivent 3,1 % des enfants de la planète, mais les familles américaines achètent plus de 40 % de la production mondiale de jouets…

Et pourtant, l'Amérique s'adore. N'est-elle pas le phare du monde libre ? « C'est toujours vers nous que l'on se tourne dès qu'il y a un problème », explique régulièrement Barack Obama, qui, de toute évidence, exonère son pays du chaos irakien et de la création de l'État islamique qui en a résulté.

L'Amérique se veut aussi un espoir pour tous les miséreux du monde, même si elle n'accepte qu'au compte-gouttes les réfugiés syriens. Elle se croit encore terre d'opportunité pour tous, sauf pour les siens.

Aujourd'hui, la reproduction sociale aux États-Unis est plus marquée que dans n'importe quel autre pays développé, et le coût des études n'y est pas pour rien. Les tensions entre les communautés, notamment entre les Noirs et les *Caucasians* (comme on appelle les Blancs en Amérique), sont permanentes. Seule une police omniprésente, militarisée, maintient la paix civile. C'est la faillite du modèle communautariste. L'illusion d'un « vivre ensemble » imposé par le contrôle social, le politiquement correct et le régime des quotas, mais qui vole en éclats au premier incident. Obama est le produit de ce communautarisme. Candidat des minorités coalisées, élu contre l'écrasante majorité des Blancs, il n'est pas le président de la réconciliation nationale et l'Amérique s'enfonce dans cette fracture. Depuis peu, les minorités sont devenues la majorité et il naît désormais aux États-Unis plus de bébés non blancs que blancs. La conséquence, c'est la grande peur. Le Tea Party et des républicains toujours plus radicaux. La nostalgie d'une Amérique des origines fantasmée, où la loi du plus fort aurait aussi été la plus juste.

L'Amérique avait pourtant tout pour elle. Un continent vierge, des ressources naturelles inestimables. Les colons ne se sont pas embarrassés de précautions. Ils ont mis le pays en coupe réglée, importé une main-d'œuvre gratuite, les esclaves, et éliminé, à l'issue d'un génocide, les autochtones. Sur ces trois crimes, ils ont bâti le pays le plus riche du monde, c'est bien le moins. Mais ils n'ont pas su faire du Nouveau Monde un monde nouveau. L'illusion a longtemps fonctionné. Qui n'a adoré l'Amérique et sa puissance créatrice ? Mais, aujourd'hui, l'empire est en panne. Il bégaye, trébuche sur ses vieux démons, incapable de se réinventer.

1

AU BONHEUR DES RICHES

QUELLE GALERIE DE PORTRAITS ! À la une de *USA Today*, le grand quotidien populaire américain, ils sont huit. Sourire impeccable, dents blanches. L'air heureux et décontracté. On le serait à moins. Vous ne les connaissez pas. Steve Ells par exemple, le patron de Chipotle, une chaîne de fast-foods un peu branchée. John Stumpf, P.-D.G. de la banque Wells Fargo, ou bien le meilleur d'entre eux, Les Moonves, numéro un de CBS. Ce sont des héros, les figures du rêve américain, des modèles. Ont-ils fait de bons sandwiches, une banque éthique ou une télévision de qualité ? Pas si sûr. Leur accomplissement, qui leur vaut la une du journal et l'admiration des lecteurs, c'est leur fortune. Car ils ont gagné beaucoup d'argent, énormément d'argent. Bien au-delà de ce qui est envisageable ailleurs et notamment en France.

Steve Ells, le moins bon, 70 millions de dollars. John Stumpf, pas loin de 87. Les Moonves, respect ! 280 millions. En un an bien sûr, stock-options et dividendes compris.

Ces hommes ne sont pas des exceptions. Le salaire médian des patrons des cinq cents sociétés du Standard & Poor's s'établit en 2014 à 11,7 millions de dollars. Environ 10 millions d'euros. Et il ne faut pas oublier que, très souvent, le salaire n'est qu'un élément, minoritaire, de leur rémunération. Autant d'argent donne le tournis. Autant d'argent pour autant de gens. Aux États-Unis, les superriches ne se comptent pas comme en France sur les doigts de la main. Il ne s'agit pas de quelques privilégiés dont tout le monde connaîtrait le nom. Bettencourt, Pinault, Arnaud, Bolloré ou Niel… Non, aux États-Unis, ils sont des dizaines de milliers. Ce sont non pas les 1 %, mais les 0,1 % les plus riches. Cent soixante mille familles environ, qui détiennent à elles seules près du quart de la richesse nationale. Ils forment une couche sociale unique au monde et relativement récente. Une exception, que l'on commence seulement à percevoir, dans l'histoire des États-Unis.

Il faut remonter au début du siècle dernier pour trouver trace d'une pareille caste de nantis. De 1916 à 1929, les 0,1 % d'Américains les plus riches se partagent environ 20 % de la richesse nationale. Mais en 1978, ils n'en détiennent plus que 7 %. Aujourd'hui donc 22 %, dernier chiffre connu qui date de 2012, et rien n'indique que la tendance se soit inversée. C'est même le contraire si l'on en croit le magazine *Forbes*, qui publie chaque année la liste des 400 Américains les plus riches. Il fallait posséder 1,5 milliard de dollars pour y figurer en 2014. Le ticket d'entrée est passé à 1,7 milliard en 2015 et, en l'espace d'une année, la fortune cumulée de ces 400 personnages a crû de 50 milliards de dollars.

Il existe d'autres façons, plus amusantes, de mesurer l'éclosion de cette nouvelle classe sociale. En 2015, la vente aux enchères du tableau de Picasso *Les Femmes d'Alger* en a fourni l'occasion à Noel Irwin, ancien éditorialiste vedette du *Washington Post* et désormais chroniqueur économique du *New York Times*. L'acheteur est anonyme mais Irwin en dresse le portrait-robot. Son raisonnement est le suivant : le tableau s'est vendu 179,4 millions de dollars. Irwin estime que personne n'est prêt à mettre plus de 1 % de sa fortune dans un seul tableau. Il faut donc posséder au moins 17,9 milliards de dollars pour envisager de se l'offrir. Ils sont une cinquantaine à pouvoir le faire. En très grande majorité des Américains. En 1997, selon les calculs d'Irwin, compte tenu de l'inflation, il n'y avait dans le monde qu'une douzaine d'acquéreurs potentiels. Le nombre de superriches a donc été multiplié par quatre en moins de vingt ans.

Ces superriches ne sont que le produit dérivé caricatural d'un système qui valorise la réussite matérielle au-delà de tout. L'Amérique, c'est le fondement même de sa culture, aime le succès et sa sanction tangible : l'argent. Dans cette société individualiste et matérialiste, faire fortune, ou tout simplement gagner très bien sa vie, est considéré comme le sommet de l'accomplissement. C'est un gage de qualité qui force le respect. Peu importe la manière dont cet argent a été acquis.

Dans un récent sondage, il était demandé à un panel de jeunes adultes ce qui, sans l'ombre d'un doute, peut mettre un terme à une relation dès le premier *date*, le premier dîner en tête à tête. L'incident le plus grave, à une large majorité, c'est que la carte de crédit de l'autre soit refusée... L'Amérique est une société décomplexée vis-à-vis de l'argent. Dans ce pays, on est fier de son salaire, s'il est bon bien sûr. On le divulgue, on en parle aux voisins, aux amis, à la famille. On compare. On donne le prix de tout, de sa voiture, de ses vacances, de sa maison ou de son divorce. C'est à qui alignera les plus gros chiffres. Il y a quelques mois, la banque Morgan Stanley a demandé à ses épargnants ce qu'ils voulaient privilégier dans leurs investissements, du profit ou de l'impact social. À 55 %, c'est le profit et lui seul; 35 % veulent bien tenter d'équilibrer, de partager, entre profit et impact social. Bref, de mettre un peu de morale dans la finance.

Avoir de l'argent, l'aimer, en vouloir toujours plus ne veut pas dire pour autant qu'on se désintéresse du sort des pauvres. Dans cette société hypocrite, où les plus faibles sont si peu assistés, on est sollicité en permanence pour faire œuvre de charité. À la caisse du supermarché, pas un jour sans qu'il soit demandé au client de faire un don. Pour les enfants déshérités, les malades, les anciens combattants... Les chaînes de grande distribution, qui s'enorgueillissent d'être partenaires de ces campagnes, sont celles-là même qui versent à leurs employés un salaire de misère avec lequel il leur est impossible de vivre décemment.

Mais qu'est-ce qu'un pauvre aux États-Unis et dans la mentalité du pays ? Est-ce une victime qui n'a pas eu sa chance ? Faut-il l'aider ? Est-ce un incapable qui n'a pas su saisir les opportunités et qui n'a finalement que ce qu'il mérite ? Ces questions simples, voire simplistes, qu'on pourrait croire tranchées depuis longtemps, sont de vrais sujets de débat au plus haut niveau. En 2015, la célèbre Brookings Institution, l'un des think tanks les plus réputés de Washington, organisait un grand débat sur la pauvreté avec en invité d'honneur Barack Obama lui-même. Le thème : « La pauvreté, problème économique ou culturel ? » En substance, qui en est responsable ? Les pauvres eux-mêmes qui devraient travailler davantage, faire de meilleurs choix et s'investir plus dans leur avenir ou bien la société au sens large qui n'a pas su leur fournir les emplois, les ressources, les opportunités pour s'en sortir ? Dans le cercle de l'excellence de la pensée, on en est là !

Ce qui est sûr en tout cas c'est que la société doit faire de moins en moins pour les pauvres, et plus globalement pour les non-riches. Car leur nombre croît de façon exponentielle, leur situation n'a jamais été aussi mauvaise et les perspectives d'avenir si faibles.

L'explosion des inégalités s'est amorcée à la fin des années 1970, mais c'est durant et après la crise financière de 2008 qu'elle a connu son apogée.

En 2012, les 90 % d'Américains les moins riches se partageaient 23 % de la richesse nationale, contre 35 % en 1980. Soit à peu près autant que les 0,1 % les plus riches. D'une manière générale, de 1986 à 2012, la richesse moyenne des familles américaines a crû de 1,9 % par an. En fait, pour 90 % des Américains, la croissance a été nulle. Elle a été entièrement captée par les 10 % les plus aisés et notamment par les fameux 0,1 % qui ont vu leurs biens croître au rythme fou de 5,3 % par an. On pourrait multiplier les chiffres à l'infini. Un indicateur parle plus que tout autre. Selon l'Economic Policy Institute, dans les années 1960, un patron américain gagnait environ vingt fois plus que ses salariés. Trente fois plus au début des années 1980. Aujourd'hui, le même patron touche trois cents fois ce que gagnent ses employés.

Cet enrichissement exponentiel des déjà riches ne tient ni à leur génie économique ni à leurs performances exceptionnelles sur les marchés mondiaux. Non, il tient avant tout à l'action de l'État, et ce n'est pas le moindre des paradoxes au pays de la libre entreprise et du marché roi.

Les riches ont été tout simplement sortis de l'impôt par le pouvoir politique. En 1980, un couple était taxé à 70 % au-delà de 215 000 dollars de revenu annuel. L'équivalent de 544 000 dollars de 2015. Or en 2016, le taux d'imposition marginal le plus fort est de 39,6 %. Il n'était que de 35 % sous George W. Bush. Dans la réalité, par le jeu des déductions fiscales, si généreuses notamment pour les revenus du capital, les plus aisés des Américains sont globalement taxés en dessous de 20 %, alors que leurs employés voient leurs salaires ponctionnés entre 25 et 30 %. Plus personne ne l'ignore depuis 2012 et la candidature à la présidentielle du milliardaire mormon Mitt Romney. Contraint par les usages démocratiques américains de publier ses déclarations fiscales, Romney avoua un taux d'imposition de 15 % quand sa secrétaire était taxée, elle, à plus de 20 %...

Les conservateurs américains assurent que l'impôt tue l'esprit d'entreprise et la création de richesse. Mais, surtout, ils ne croient pas à la redistribution par la fiscalité. Ils croient à la redistribution par... gravité. Selon eux, la richesse amassée au sommet finit toujours par redescendre et arroser les couches inférieures. Ils ont un mot pour cela, la *trickle down economics*, l'économie du ruissellement. Ce n'est pas une théorie neuve, mais elle n'a jamais eu autant le vent en poupe. Elle offre l'avantage de légitimer l'accumulation de toujours plus de richesse aux mains de quelques-uns au nom de la lutte contre la pauvreté...

Aider les riches, c'est également aider leurs entreprises parfois bien au-delà des limites. Ainsi des dizaines de grandes sociétés échappent régulièrement à l'impôt. En 2011, les experts de Citizens for Tax Justice et de l'Institute on Taxation and Economic Policy se sont intéressés à 280 des 500 plus grosses sociétés américaines. Soixante-dix-huit d'entre elles n'avaient pas déboursé un seul dollar d'impôt lors d'au moins une des trois années précédentes. Boeing, malgré des bénéfices de près de 10 milliards de dollars, n'avait rien payé du tout pendant les trois ans. La banque Wells Fargo avait réussi à bénéficier de 18 milliards de réductions fiscales…

L'Amérique n'est ni sourde, ni aveugle, elle a conscience de ce niveau d'inégalités jamais atteint. Ses riches toujours plus riches et ses pauvres toujours plus pauvres. En 2011, éclate le Mouvement Occupy Wall Street ou Mouvement des 99 %. Porté par des intellectuels comme le prix Nobel d'économie Paul Krugman, le mouvement dénonce l'accumulation des richesses dans les mains des 1 % les plus aisés. Il manifeste un peu partout dans les grandes villes. Occupe des squares à deux pas de la Maison Blanche ou à proximité de Wall Street. C'est un mouvement spontané. Un peu anarchique. Sans chef ni porte-parole. Une foule sympathique, créative et qui ne manque pas d'arguments. On se dit que quelque chose va bouger aux États-Unis. Nous sommes en période électorale. Les candidats, qui tous courtisent la classe moyenne, font de la réduction des inégalités un thème de campagne. Ils promettent, chacun à sa façon, plus de justice sociale. Mais aux États-Unis comme en France, les promesses électorales n'engagent que ceux à qui on les fait. Cinq ans plus tard, le Mouvement des 99 % a disparu comme il était venu, sans crier gare, et les inégalités sont toujours au cœur de la campagne…

Si l'Amérique s'accommode aussi bien d'un tel niveau d'injustice sociale, c'est qu'elle se perçoit toujours comme une terre d'opportunités. Le « rêve américain » hante les discours comme les esprits. Chaque candidat à la présidentielle promet aux électeurs que, grâce à lui, il pourra réaliser son *American Dream.* Un concept indéboulonnable. La promesse faite à chacun que, s'il travaille dur, il pourra accéder au bien-être matériel, maison, voiture, éducation des enfants, et faire mieux que la génération précédente. Le corollaire, implicite, c'est que ceux qui n'accèdent pas à ce standard n'ont pas su ou pas voulu saisir leur chance.

Ce mythe, car aujourd'hui c'en est un, plonge ses racines dans une réalité historique. L'Amérique des débuts, pays neuf, sans aristocratie ni caste, a produit il est vrai plus de mobilité sociale que les pays d'Europe. Mais le rêve américain n'est plus qu'un slogan vide de sens même si quelques histoires continuent de faire rêver. Comme celle de Bobby Murphy, 27 ans, et Evan Spiegel, 25 ans, les deux fondateurs de Snapchat, qui font désormais partie des plus grandes fortunes américaines. Spiegel est même le plus jeune milliardaire outre-Atlantique. Mais pour des millions de jeunes Américains, la réalité est tout autre. C'est celle du surendettement, seul moyen pour tous ceux qui n'ont pas des parents fortunés de poursuivre des études.

Les frais de scolarité ont explosé aux États-Unis. Plus 440 % en vingt-cinq ans. L'année en université publique frôle désormais les 10000 dollars. Dans les grands établissements privés, on est fréquemment autour de 50000. Certaines formations longues et spécialisées, comme la médecine, dépassent le demi-million de dollars. Les Américains moyens épargnent dès leur mariage pour pouvoir financer les études de leurs enfants pas encore nés... Malgré ces précautions, trois étudiants américains sur quatre ont recours à l'emprunt. Ils démarrent dans la vie endettés jusqu'au cou et certains rembourseront encore lorsque leurs propres enfants entreront à leur tour à l'université. L'encours de la dette étudiante, au 1er janvier 2015, s'élevait à 1 160 milliards de dollars. Plus que celui des cartes de crédit américaines.

Cette explosion des coûts de scolarité s'explique par le désengagement de l'État, mais pas seulement. La compétition entre les établissements y est pour beaucoup. C'est à qui offrira les infrastructures les plus luxueuses pour attirer les meilleurs élèves, ceux des familles fortunées dont les parents deviendront de généreux donateurs de l'établissement. Les grandes universités gérées comme des entreprises du Dow Jones sont dirigées par des patrons stars. Richard Levin, président de Yale jusqu'en 2013, est parti avec une retraite chapeau de 8,5 millions de dollars ; il gagnait plus de 1 million par an quand il était en activité. Gregory Fenves, nommé président de l'université du Texas à Austin en 2015, un établissement public, a jugé choquant le salaire d'1 million de dollars par an qu'on lui proposait et s'est contenté de 750 000.

Le prix exorbitant des études est lourd de conséquences pour le pays. Il incite les étudiants à choisir les filières les plus rémunératrices, comme droit ou médecine, au détriment d'autres spécialités dont les États-Unis ont cruellement besoin, les ingénieurs par exemple. Aujourd'hui, des entreprises américaines sont contraintes de délocaliser faute de pouvoir en recruter sur place. Autre conséquence : il est illusoire, à supposer que les politiques en aient la volonté, d'espérer voir diminuer le coût, absolument prohibitif, des consultations médicales, des actes dentaires ou chirurgicaux. Celui-ci s'explique en grande partie par le montant de la dette contractée pendant les études.

Enfin et peut-être surtout, ce renchérissement des frais de scolarité favorise la reproduction sociale, contraire absolu du rêve américain. Or elle est désormais plus forte aux États-Unis que dans tous les autres pays développés. De nombreuses études le prouvent, chiffres à l'appui. On sait par exemple que 42 % des hommes américains nés dans les 20 % de foyers les plus pauvres y demeurent à l'âge adulte. Cette proportion n'est que de 20 % au Danemark et de 30 % en Grande-Bretagne. Inversement, les rejetons des familles aisées peuvent s'offrir les meilleures universités, y tisser les réseaux les plus efficaces et entrer dans la vie avec les salaires les plus élevés dans l'espoir de dépasser la réussite de leurs parents.

L'amour de l'argent et la valorisation du succès financier trouvent parfois leurs limites. Il faut aller très loin dans l'appât du gain pour susciter la réprobation des Américains, mais cela arrive. Et c'est ce qui s'est passé pour Martin Shkreli.

C'est un trentenaire au visage poupin. Vif et intelligent. Shkreli a débuté à Wall Street à l'âge de 17 ans. Il en a gravi tous les échelons jusqu'à diriger un *hedge fund*. Il se spécialise dans les valeurs médicales, pharmaceutiques et biotechnologiques. Il a un flair particulier pour deviner quel laboratoire connaîtra des déboires avec une nouvelle molécule, quel médicament ne passera pas les tests cliniques ou n'obtiendra pas l'agrément de la FDA[1]. Puis, en 2011, Martin Shkreli décide de sauter le pas et d'entrer lui-même dans l'industrie pharmaceutique. Il crée une première société, Retrophin, puis une seconde en 2015, Turing. Son *business model* est simple mais efficace : racheter des médicaments anciens, pratiquement inconnus, dont la diffusion est faible mais essentielle sur les marchés de niche de certaines maladies rares. Une fois ces médicaments acquis, certain ou presque que les grands laboratoires ne vont pas développer de génériques pour de si petits marchés, Shkreli augmente les prix dans des proportions invraisemblables. C'est ce qu'il fait à l'automne 2015 avec le Daraprim. Ce médicament inventé en 1953 est prescrit contre la toxoplasmose, mortelle dans certains cas pour les nouveau-nés, les malades du sida ou les victimes de certains cancers. Shkreli paye 55 millions de dollars pour acheter la molécule à la société qui la produit, Impax Laboratories. Et immédiatement il en multiplie le prix par plus de 50... De 13,50 à 750 dollars. En quelques jours, c'est le tollé. Patients et médecins se mobilisent. Même les politiques, qui pourtant ont toujours refusé le contrôle des prix des médicaments, s'indignent. La presse est à l'unisson. Et Shkreli tarde à comprendre qu'il y est, cette fois, allé un peu

1. FDA, l'Agence américaine des produits alimentaires et médicamenteux.

fort. Sur CBS, il déclare : « On a augmenté le prix de façon à faire de bons bénéfices mais pas des bénéfices ridiculement élevés. » Même aux États-Unis c'est choquant et il doit réviser ses tarifs.

Il aurait dû prendre exemple sur le champion du secteur : Valeant. Un groupe qui pratique lui aussi l'augmentation généralisée des tarifs, mais avec plus de… modération. À l'été 2015, Valeant a par exemple multiplié par quatre le prix de la Cupramine qui traite la maladie de Wilson. Du jour au lendemain, tous les patients se sont retrouvés ruinés et, à terme, menacés de conséquences physiologiques désastreuses. Qu'à cela ne tienne, Michael Pearson, le P.-D.G. de Valeant, est resté droit dans ses bottes. « J'ai le devoir, vis-à-vis de mes actionnaires, de tirer le maximum de profit de chacun de nos médicaments », plaide-t-il. Et les actionnaires, qui pensent sans doute n'être jamais malades, approuvent. La valeur de l'action Valeant a été multipliée par six en cinq ans à Wall Street.

Cette course à la fortune sans limites finit par inquiéter certains riches eux-mêmes, qui le font savoir. Il y a ceux que cela dérange par principe, comme Warren Buffett ou George Soros. Dans leur propre milieu, on les a longtemps considérés comme de sympathiques exceptions. Mais, depuis quelques temps, d'autres plus « classiques » les rejoignent avec des motivations diverses. La plupart du temps, il est tout simplement question de la défense bien comprise de leurs intérêts. Ainsi Paul Tudor Jones II, un des papes de Wall Street, dont la fortune est estimée à 5 milliards de dollars. Il explique dans une conférence

TED[1], que l'écart entre le « top 1 % » et le reste des États-Unis « ne peut pas et ne va pas durer ». Et pour bien se faire comprendre de ses camarades, il affirme que « ce genre de situation, dans l'histoire, ne s'est réglé que de trois manières : les impôts, la guerre ou la révolution ». Les deux derniers cas de figure paraissant exclus, tous les espoirs, si l'on ose dire, reposent sur l'impôt. Encore faudrait-il qu'une majorité d'Américains, et pas seulement quelques milliardaires, en soient convaincus. Et que par conséquent l'État avec un grand E soit perçu comme un concept noble. On en est loin. L'État, pour une majorité d'Américains, reste un prédateur, bouffi et inefficace, dont il convient de réduire les dépenses et les prérogatives. Dans une récente enquête, le Pew Institute demandait aux Européens et aux Américains ce qui pour eux était le plus important : la liberté de poursuivre ses propres objectifs dans la vie sans interférence de l'État ou bien l'assurance que l'État ne laisserait personne dans le besoin. Aux États-Unis, 58 % des sondés ont choisi la liberté et 35 % la lutte contre la misère. En France, 62 % des personnes interrogées ont opté pour le combat contre la pauvreté.

---

1. Les conférences TED (*Technology Entertainment and Design*), sont une série internationale de conférences organisées par The sapling foundation.

2

RASER LES APPALACHES

ROBERT RUCKERT N'EN EST PAS REVENU. Un matin, ils sont arrivés sur sa propriété, sans prévenir. Deux pick-up, un camion de forage. Ils se sont installés là, à 150 mètres de sa maison, pas plus. Et ils ont commencé leur travail. Creuser un puits à la recherche de gaz de schiste.

Sa maison, c'est une ancienne ferme. Une petite propriété de l'Oklahoma rural. Quelques hectares autour d'une bicoque sans grand intérêt. Mais c'est la sienne. Et puis elle a une histoire. Elle a appartenu à ses parents. Et avant eux à ses grands-parents. Aujourd'hui, Ruckert ne vit plus du travail de la terre, il est chauffeur en ville. Mais il habite là et aimait bien l'idée d'y faire sa vie, au milieu des bois et des champs.

Il faut qu'il soit honnête. Quand il dit qu'ils sont venus sans prévenir, ce n'est pas tout à fait vrai. La maison est à lui, le terrain est à lui. Mais pas les *minerals*, comme on dit ici. Pas le sous-sol. Et cela, Ruckert le sait. Comme il sait que les propriétaires de ces *minerals* ont vendu les droits de prospection. Il en a été averti par courrier il y a quelques mois. Mais il n'y a pas prêté plus d'attention que cela. Pas après ce qui lui était arrivé.

C'était en novembre 2011. Un séisme de 5,7 sur l'échelle de Richter. Le plus important de toute l'histoire de l'Oklahoma. L'un des premiers d'une très longue série. Qui va s'assurer contre les tremblements de terre dans les grandes plaines ? En Californie oui, mais ici…

Il aurait dû. Des fissures à passer le poing au travers. La moitié de la maison à reconstruire. Et c'est précisément ce qu'il est en train de faire quand les types de la compagnie gazière déboulent avec leurs engins. L'origine du séisme ? Le gaz de schiste justement. Ou plutôt les puits de réinjection. C'est un peu technique, mais Ruckert a appris avec le temps et les ennuis.

Pour extraire ce maudit gaz, il faut utiliser de l'eau, énormément d'eau et des produits chimiques. Cette eau, l'industrie la recycle autant qu'elle peut mais une grande partie n'est pas récupérable. Alors on l'injecte, sous très haute pression, pour s'en débarrasser, dans des couches « étanches » du sous-sol. Et c'est là tout le problème. Depuis que cette technique est employée, les séismes se multiplient en Oklahoma. On en compte aujourd'hui plus qu'en Californie. La plupart de faible intensité. Mais pas tous. La preuve, la maison de Ruckert…

En l'espace de quelques années, tout le centre du pays s'est constellé de trous. On dirait une de ces plaines de l'Ouest envahies par les chiens de prairies. Du Texas, au sud, jusqu'à la frontière avec le Canada, ce n'est que forages, excavations, torchères dans la nuit.

La petite ville de Williston, Dakota du Nord, est la capitale de cette nouvelle industrie. Dans son bureau, le maire montre avec fierté la carte de son royaume, épinglée au mur. « Williston, c'était cela », dit-il en désignant un rectangle. Une cité taillée au cordeau comme souvent dans l'Ouest. « Maintenant on en est là », le rectangle a doublé de superficie. « Et nous allons urbaniser tout ça. » Cette fois, sur le papier, Williston a quatre fois sa taille d'origine. Il le dit presque en s'excusant. Pas mégalomane, plutôt accablé. Durant les vingt-cinq années qui ont précédé le gaz de schiste, on n'avait pas construit un immeuble neuf à Williston. Depuis 2010, la ville a triplé sa population. Les hommes habitent dans des *mancamps*, sortes de villages préfabriqués. Des chambres de 8 mètres carrés, des sanitaires collectifs, un réfectoire. L'alcool, les armes et les femmes y sont interdits.

La petite ville se débat dans un embouteillage permanent de pick-up, les plus gros modèles, et de camions géants qui acheminent l'eau, les tuyaux de pipeline, les éléments pour faire les puits.

Les candidats accourent de partout. Victimes de la crise de 2008. Pour travailler sur les forages, c'est ce qui paye le mieux, mais aussi chez Walmart ou McDonald's. À Williston, ces grandes enseignes offrent 20 dollars de l'heure, contre moins de 10 à New York ou San Francisco.

Le gaz et le pétrole de schiste ont rendu folle l'Amérique. C'était la solution à tout. À la crise et à la dépendance énergétique. Depuis qu'en 2015 le pétrole du Moyen-Orient coule de nouveau à flots et que les cours retombent, Williston licencie car l'extraction par *fracking* coûte cher, très cher. Mais entre-temps, on a foré à tout va. Au risque de saccager les paysages, de polluer les nappes phréatiques, de faire trembler la terre…

C'est ainsi en Amérique chaque fois qu'une nouvelle ruée vers l'or fait perdre toute mesure aux hommes. Lors des dernières élections, on a vu apparaître sur des pancartes, des autocollants, des T-shirts cette phrase : « *Vote for coal* », votez pour le charbon. Quel slogan ! Il s'agissait de faire battre les démocrates dans les États des Appalaches où l'extraction du charbon est la plus controversée, et notamment en Virginie-Occidentale et en Pennsylvanie.

Là, depuis une dizaine d'années, l'industrie minière utilise une méthode radicale. Elle rase les montagnes. Cela peut paraître incroyable, mais c'est pourtant la stricte réalité. Quand un filon est identifié, si la méthode la plus rentable pour l'exploiter est une mine à ciel ouvert, et c'est le plus souvent le cas, l'industrie rase tout simplement le sommet de la montagne. Les investisseurs sont heureux, les mineurs et tous ceux qui vivent de cette industrie aussi. Alors, « *vote for coal* ».

Ce raisonnement à courte vue n'est pas propre à l'Amérique, mais il est sidérant dans un pays aussi évolué et si souvent imité.

Les Américains exploitent leurs terres sans retenue comme une manne inépuisable. Ils pratiquent un type d'exploitation « minier ». C'est-à-dire qu'ils épuisent le filon sans jamais se soucier de son renouvellement ou de la préservation de la ressource. Et c'est ainsi depuis le début. Quand les premiers colons débarquent, c'est le dernier continent vierge ou presque. Un million et demi d'Indiens environ à l'est du Mississippi. Peut-être quatre à cinq au-delà, des grandes plaines jusqu'à la Californie. Ils sont nomades ou semi-nomades pour la plupart. Chasseurs, cueilleurs, pêcheurs. Agriculteurs aussi, pour une minorité d'entre eux. Sédentarisés dans les villages *pueblo* du sud des États-Unis actuels.

Leur empreinte sur l'environnement est minimale. À peine mesurable. Il faut dire que l'Amérique est un pays de cocagne. Dans les grandes plaines, la formidable horde de bisons, au moins 20 millions de têtes, semble devoir assurer pour toujours la subsistance des Sioux, des Cheyenne, des Omaha, des Comanche…

Et il en va partout ainsi. Le continent regorge de gibier, de forêts, de cours d'eau. L'Amérique tout entière, l'Amérique des origines plus encore, celle des treize colonies de la côte Est, est un scandale écologique. Ses terres sont fertiles, son climat généreux. Son sous-sol, mais personne ne le sait encore, est incroyablement riche. Pour recruter des colons à la fin du XVIIIe siècle en Angleterre, on vante le nouveau monde dans des prospectus sur lesquels on peut lire : « Toutes sortes de plantes et de fruits y viennent avec une grande facilité et d'une grandeur et d'une grosseur merveilleuses. » Et c'est vrai. Les rendements agricoles surpassent ceux de l'Europe. L'abondance d'animaux sauvages et de poisson fournit un complément de protéines inestimable. Les conséquences sont spectaculaires. Au moment de la guerre d'indépendance, à la fin du XVIIIe siècle, le colon est en moyenne 7 centimètres plus grand que son ennemi débarqué d'Europe. Tout est à l'avenant. L'espérance de vie plus élevée, la mortalité infantile plus faible.

Sur les six enfants auxquels une femme donne naissance en moyenne en Europe, quatre meurent avant d'atteindre l'âge adulte. Ici la proportion est inverse.

On se dit qu'à une nature aussi prodigue va répondre la générosité humaine. Que, débarrassé ou presque de l'obsédante question de sa survie, l'homme va lui offrir le meilleur de son intelligence. Or le résultat n'est pas probant. C'est tout le contraire qui se produit.

Cupidité. Voilà le maître mot. De la conquête du continent à la grande crise des subprimes. Des bisons menés au bord de l'extinction jusqu'aux Appalaches qu'on rase. Les raisonneurs objecteront qu'il en fut ainsi partout et de tous temps.

Peut-être pas. Peut-être y a-t-il dans cet agrégat de populations venues du nord de l'Europe quelque chose de particulier que nous n'osons nommer mais que les premiers observateurs, moins politiquement corrects ou moins complexés que ceux d'aujourd'hui, avaient bien identifié.

C'est un Américain qui le premier s'en indigne. Il se nomme Albert Gallatin. Il est né à Genève ; ses parents étaient des amis de Voltaire. Il a reçu la meilleure éducation puis s'est embarqué pour Boston en 1780, fasciné par la création des États-Unis. Il va y prendre sa part, ô combien. Membre du Congrès, corédacteur des premiers amendements de la Constitution et secrétaire au Trésor de deux présidents successifs, c'est lui par exemple qui finalise le montage financier pour l'achat de la Louisiane à la France en 1803. Gallatin est donc tout sauf un ennemi de l'intérieur. Mais ce pays qui se construit et qu'il construit le désespère souvent. Ce qui l'insupporte le plus, c'est l'affirmation de l'inégalité raciale au nom de laquelle on asservit les Noirs et extermine les Indiens. « Cette prétention à une supériorité raciale des Anglo-Saxons, écrit Gallatin, masque une cupidité sans borne[1]. »

Il n'est pas le seul à faire ce constat. Loin de là. Nous n'avons voulu retenir d'Alexis Tocqueville, notre américanophile favori, que son hommage à la démocratie du nouveau monde. C'est réduire singulièrement cet observateur si fin, cet esprit héritier

---

1. « Gallatin fait partie des principaux observateurs de la condition indienne aux États-Unis durant la première moitié du XIXe siècle, avec Tocqueville et Beaumont », Denys Delâge, *Les Cahiers des dix*, n°66, 2012.

lui aussi des Lumières. Dans un petit ouvrage, *Quinze jours au désert*, sorte de carnet de bord de ses voyages sur la frontière, Tocqueville dresse un portrait terrible de l'homme américain : « Il est, assure-t-il, froid, tenace, impitoyable argumenteur. Il s'attache à la terre et arrache à la vie sauvage tout ce qu'il peut lui ôter. Il lutte sans cesse contre elle, il la dépouille chaque jour de quelques-uns de ses attributs. » Pour lui, l'Amérique est « une nation de conquérants qui se soumet à mener la vie sauvage sans jamais se laisser entraîner par ses douceurs [...] qui n'a qu'une pensée et qui marche à l'acquisition des richesses, unique but de ses travaux ».

Quant à son compagnon d'aventure, Gustave de Beaumont, il n'y va pas par quatre chemins et décrit « l'Américain de race anglaise tourné vers les froides jouissances de la richesse ».

François-René de Chateaubriand lui-même pose à la fin de son *Voyage en Amérique* la question qui le taraude : « Enfin les Américains sont-ils des hommes parfaits ? [...] L'esprit mercantile ne les dominera-t-il pas ? L'intérêt ne commence-t-il pas à devenir chez eux le défaut national dominant ? »

Quiconque parlerait en ces termes aujourd'hui serait immédiatement disqualifié. Propos indignes ! Caricature ! Café du commerce ! Mais le café du commerce, attablé entre Tocqueville et Chateaubriand, vaut bien tous les cénacles atlantistes de la bien-pensance actuelle.

Au nom de la cupidité, mais sans jamais l'avouer bien sûr, les Américains se sont donc affranchis de tous principes.

Leur pays, ils l'ont bâti sur trois piliers : l'exploitation minière du continent, le génocide des autochtones et l'esclavage.

Certes, à l'époque, l'Europe compte ses propres esclaves, notamment en Angleterre. Et dans les Antilles françaises. Mais le mouvement des idées est en marche depuis presque un siècle. Même la Russie abolit le servage en 1860, au moment où l'Amérique s'apprête à se déchirer sur ce sujet dans la guerre la plus meurtrière de son histoire.

L'Amérique se construit en rupture avec les pesanteurs sociales de l'Europe. Ici, proclame le roman national, peu importe la naissance.

Chaque homme a sa chance, seuls le mérite et le travail comptent. On sait que ce n'est pas vrai pour les Indiens. Ce ne le sera pas non plus pour les Noirs. Il faudra attendre 1865 et la fin de la guerre de Sécession pour que l'esclavage soit officiellement aboli aux États-Unis. Et encore. Dans les États du Sud, la ségrégation sera la loi jusqu'en 1964. Et personne ne peut nier qu'il en subsiste toujours aujourd'hui des traces importantes…

Voilà donc le décor planté. La catastrophe annoncée. Un peuple de colons menés par la cupidité s'est débarrassé des autochtones et s'est adjoint une main-d'œuvre gratuite. Ils n'ont plus qu'à se servir.

Pourtant, dans l'imaginaire collectif, l'Amérique est toujours le pays des grands espaces et des paysages somptueux. C'est un miracle. Et nous le devons essentiellement à un homme : Theodore Roosevelt, président des États-Unis de 1901 à 1909 (il devient vice-président en 1900 mais remplace en 1901 le président McKinley, victime d'un attentat, avant d'être élu président en 1904).

Roosevelt est un homme hors norme, politicien, écrivain, soldat, naturaliste… Il a passé une grande partie de sa jeunesse dans les Adirondacks, ce magnifique massif forestier de la côte Est, à la frontière avec le Québec. Ensuite, à la mort de sa femme, il s'est retiré deux ans loin du monde dans un ranch du Dakota du Nord. À l'époque, c'est la frontière. Un territoire sauvage. Roosevelt y mène une vie de *rancher* dans une nature encore pratiquement vierge. Il aime la nature, à sa façon, celle des hommes de son époque. C'est par exemple un grand chasseur. À la fin de sa carrière politique, il partira pour l'Afrique, d'où il rapportera… 3000 trophées. Mais il est sensible aux paysages, à la nécessité de préserver la vie sauvage, la flore, les forêts… Roosevelt fonde en 1903 la première réserve animale. Une réserve d'oiseaux sur Pelican Island en Floride. Puis il crée le Service national des forêts. Il invente les Monuments nationaux. Il en désigne dix-huit, dont le Grand Canyon qu'il soustrait ainsi à l'exploitation minière. C'est à lui également que l'on doit les grands parcs. Enfin, il place sous contrôle fédéral la gestion de l'eau à travers tous les États-Unis. À chaque fois, c'est un combat. À Washington, il faut convaincre un Congrès réticent. Sur le terrain, il faut souvent déployer l'armée pour faire respecter les arrêtés de protection. Mais, sans lui, l'Amérique tout entière aurait connu le sort de la forêt de séquoias géants qui, de Portland jusqu'à San Francisco, bordait l'océan Pacifique. Les arbres, les plus vieux et les plus grands du monde, transformés en étais de mine ou en traverses de chemin de fer. De cette forêt unique, ne subsistent aujourd'hui que quelques lambeaux à la frontière entre l'Oregon et la Californie, dans un endroit miraculeusement oublié du développement industriel et du tourisme de masse.

On a du mal à imaginer ce qui n'est plus. La formidable prodigalité de cette nature pratiquement vierge il y a encore deux cents ans. Voici par exemple une statistique du XVIIIe siècle, qui décrit la forêt au nord de la côte Est. On y trouve sur 10 miles carrés (environ 26 kilomètres carrés) : 250 000 arbres, 5 ours, 2 pumas, 2 loups, 30 renards, 200 dindes et 400 daims…

Audubon, le grand peintre naturaliste, parcourt la frontière sur les bords du Mississippi dans la première moitié du XIXe siècle. Pour réaliser les aquarelles qui le rendront célèbre, Audubon tue les oiseaux qui lui serviront de modèle. Il écrit à un de ses amis : « Je dis qu'il y a peu d'oiseaux quand j'en abats moins de cent par jour ! » Depuis, beaucoup n'existent plus qu'encadrés dans les musées.

Les colons n'ont pas attendu pour se lancer dans l'exploitation la plus féroce de toutes les ressources. En Caroline, dès 1710 la population de daims est anéantie. Ils ont exporté plus de 100 000 peaux par an. La dinde, symbole aujourd'hui de Thanksgiving, la plus grande fête familiale américaine, a failli connaître le même sort.

Songez qu'il a fallu attendre 1836 pour voir le premier convoi de chariots bâchés s'engager sur l'Oregon Trail. Jusque-là, l'Ouest est pratiquement inviolé. Pas une clôture sur des millions d'hectares. Les grandes plaines à l'infini et 20 millions de bisons qui transhument en toute liberté. Cinquante ans plus tard, en l'espace de deux générations, l'espèce est au bord de l'anéantissement. Il ne reste que quelques centaines d'animaux aux confins du Wyoming et du Montana. Quelle autre conquête s'est traduite par un tel carnage ? Les colons ont tué jusqu'à plus soif. Des montagnes de crânes de bisons sont érigées avant d'être brûlées et broyées pour en faire de l'engrais. Cette folie destructrice s'est appliquée à tout. C'est un défi au bon sens et à l'intelligence, mais elle continue de faire ses ravages.

Le colon pillait hier pour accaparer la terre et ses ressources. Son descendant continue aujourd'hui sans vergogne pour préserver son confort.

Un Américain consomme cinq fois plus d'énergie qu'un Brésilien ou onze fois plus qu'un Indien. Mais également deux fois plus qu'un Français. C'est le résultat d'un mode de vie entièrement dédié à l'automobile. On peut conduire ici dès l'âge de 16 ans et c'est pratiquement indispensable. Rien n'est fait pour l'homme sans voiture. Pas de trottoir, peu de transports collectifs. L'habitation idéale pour la famille moyenne idéale, c'est une maison avec trois garages dans un lotissement au milieu de rien à plusieurs dizaines de kilomètres de la ville. Les Américains ont inventé un nom pour cela, ils parlent d'*exurbs* par opposition aux *suburbs*, ces banlieues bien trop proches des centres urbains. C'est aussi le résultat d'un mode de vie fondé sur une surconsommation qui confine au gâchis. Il faut voir, à chaque *Black Friday,* sorte de supersolde annuel, les foules abêties se précipiter dans les *malls*, les centres commerciaux géants, pour y acheter une énième télé inutile ou des montagnes de vêtements qui ne seront jamais portés. Cette tradition affligeante, hélas apparue en France, est ici considérée comme une fête.

Les occasions ne manquent pas. Colombus Day, Veterans Day, etc. Elles n'ont d'égal que les files d'attente devant les magasins Apple. Par centaines, hommes et femmes sont prêts à passer une nuit entière devant leur magasin à la pomme chaque fois qu'un de ses dirigeants, faussement décontracté, en jean et T-shirt vient les persuader qu'ils ont besoin d'un nouveau Smartphone. Et c'est sans parler de la nourriture jetée, environ 40 % de la production, du suremballage, de la dictature du dernier modèle de voiture, de baskets, de casques WiFi…

Pour soutenir cette surconsommation, il faut raser les Appalaches, encore et encore. Mais désormais, en plus, il faut convaincre, car ici et là des grincheux gâchent la fête. Un peu comme ces types qui prétendaient dans les années 1960 que le tabac était mauvais pour la santé. L'industrie de la cigarette a réussi à les faire taire pendant trente ans.

Cette fois, le danger du tabac a été remplacé par le changement climatique. Le premier réflexe a été de le nier. Puis, dans un deuxième temps, devant la difficulté, les lobbies du tout-énergies fossiles en ont contesté l'origine anthropique. Mais ces méthodes sophistiquées s'accordent mal avec l'esprit d'entreprise des géants du pétrole ou du charbon. Ils ont trouvé plus simple et plus efficace, du moins le croient-ils. La méthode est radicale. Elle consiste, partout où c'est possible, à tout simplement interdire d'en parler. Quelque chose dont on ne parle pas n'existe pas, c'est bien connu.

Il faut soigner le mal à la racine. Dès l'école. La Virginie-Occidentale, grand État producteur de charbon, introduit dans les programmes scolaires l'idée que la hausse des températures est réversible et en aucun cas liée à l'homme. C'est bien, mais un peu timide. Au Texas, où on est moins complexé, les programmes doivent nier tout simplement le réchauffement climatique. Pour cela, ils s'appuient sur les travaux d'un think tank ultraconservateur, le Heartland Institute. Le sujet est tellement sérieux que le Heartland Institute a créé un organisme dédié : le Center on Climate and Environmental Policy.

Le Heartland Institute s'est toujours trouvé du côté nauséabond de l'histoire. Dans les années 1990 par exemple, alors qu'il est tout de même trop tard pour nier les méfaits du tabac, il travaille avec Philip Morris pour tenter de « prouver » que le tabagisme passif n'existe pas. Aujourd'hui, il est la première organisation climato-sceptique selon le *New York Times* et même la première au monde selon *The Economist*. Les publications de ce « centre » laissent pantois. Elles tournent autour de trois idées générales : le changement climatique n'est pas catastrophique, il pourrait même être bénéfique. Il n'est en rien causé par l'homme mais naturel. Le coût économique de la lutte contre le changement climatique excéderait de loin ses avantages.

C'est donc ce think tank qui va être chargé de porter la bonne parole aux élèves du Texas. Plus tard, ils ne seront donc pas surpris en lisant le *Wall Street Journal* qui n'évoque jamais le problème, ou alors pour le nier à la manière du Heartland Institute. Ils ne seront pas non plus en désaccord avec leurs élus, 70 % des sénateurs républicains étant ouvertement climato-sceptiques. Il ne faut pas trop s'en étonner, dès lors que depuis vingt ans l'industrie du gaz, du pétrole et du charbon finance massivement chaque campagne électorale. Elle a ainsi aidé Rick Scott, par exemple, à devenir gouverneur de Floride. Une de ses premières décisions a été d'interdire aux fonctionnaires du ministère de l'Environnement de son État d'employer les expressions « changement climatique » et « réchauffement mondial »...

3

WOUNDED KNEE À VENDRE

LE PLUS GRAND RISQUE, c'est de passer devant sans s'arrêter. En venant de Rapid City, l'aéroport le plus proche, à deux heures de route, c'est sur la gauche. Dans un virage. Il y a là un parking que rien ne signale. En contrebas, cinq à six étals grossiers faits de branchages et de planches. Ils sont vides, à une ou deux exceptions près. Sur le parking lui-même, un panneau défraîchi avec un texte en blanc sur fond rouge. Il faut faire un effort pour déchiffrer les quelques lignes qui résument à grandes enjambées ce qui s'est passé là. Un massacre. Le massacre de Wounded Knee. C'est donc ici que s'est achevée la conquête de l'Ouest, là que s'est joué le dernier épisode du western national, là enfin que se sont terminées les guerres indiennes.

L'Indien qui nous guide s'appelle Harold Bia. Drôle de nom pour un Sioux lakota. Bia comme Bureau of Indian Affairs. Tout s'explique. C'est le nom que l'administration a donné à tous ceux dont la filiation s'était perdue, de massacre en déportation. Et il n'en manque pas dans cette réserve de Pine Ridge comme dans toutes les autres…

Pas de monument, pas de stèle. Au-delà du panneau, une sorte de terrain vague mangé par les herbes. De l'autre côté de la route, une petite colline. À son sommet, une église catholique entourée de son cimetière.

Il faut faire un effort, imaginer la scène. Nous sommes le 29 décembre 1890. Il fait un froid terrible. À l'emplacement du parking et des étals, le camp des Sioux. Ils sont 350 environ, dont une centaine d'hommes, pas davantage. Leur chef s'appelle Big Foot. La région est troublée depuis plusieurs mois. Même si Big Foot et sa bande n'ont rien de particulier à se reprocher, la veille, le 28, ils ont reçu l'ordre du major Whitside du 7e de cavalerie d'établir leur campement à cet endroit. Le 29, la centaine de guerriers doit remettre ses armes aux soldats.

Big Foot a accepté. Il sait, en vieux chef résigné, que le vent de l'histoire souffle désormais contre son peuple. Il a fait hisser un drapeau blanc au centre du campement.

Dès les premières heures du jour, la remise des armes commence. Des vieux fusils. On ne peut exclure que les Indiens essayent d'en dissimuler quelques-uns. L'affaire ne va pas assez vite au goût des militaires qui s'énervent, fouillent les tentes, les renversent, saccagent tout ce qui s'y trouve. L'exaspération monte chez les Indiens et l'un d'eux, un jeune homme isolé dont l'histoire n'a pas retenu le nom, sort un revolver et abat un soldat.

La suite, chacun la connaît. Là où aujourd'hui se dressent l'église et son cimetière, le colonel Forsyth, qui commande les opérations, a placé quatre mitrailleuses Hotchkiss.

C'est le carnage. Le campement est haché menu. Des hommes, des femmes, des enfants et quelques soldats aussi, qui tombent sous les balles de leurs camarades. Ce pourrait n'être qu'un immense gâchis, un de plus. Mais ce jour-là, la fureur va plus loin. Aveuglés par la haine et la peur, les soldats poursuivent les survivants. On retrouvera leurs corps, des femmes et des enfants, dans un rayon d'un mile, un kilomètre et demi. Extirpés des fourrés où ils s'étaient cachés pour être achevés.

Sur la colline d'où les mitrailleuses ont tiré, l'armée creuse une fosse commune et jette là environ 350 corps – personne ne sait exactement combien.

Aujourd'hui, le site est à vendre. Son propriétaire, un visage pâle, en réclame plusieurs millions de dollars, trois ou quatre, pour quelques dizaines d'hectares. Il est convaincu qu'il y a là de quoi réaliser un projet touristique très profitable. Il a peu de succès car, à la vérité, tout le monde s'en moque.

Quelques semaines après le massacre, en 1891, le gouvernement fédéral proclamera officiellement la fin de la « frontière ». La conquête est achevée. C'en est fini d'une certaine Amérique, des grands espaces et des dernières populations indiennes libres.

Lorsque les premiers colons débarquent au début du XVIIe siècle sur ce qui sera plus tard les côtes du Maryland et de la Virginie, le pays n'est pas vide. Des hommes arrivés quelques millénaires auparavant en provenance d'Asie y vivent paisiblement.

Tout autour de la baie de la Chesapeake habitent les Algonquins, les Susquehannock et surtout les Powhatan, que plus personne n'ignore depuis les aventures de Pocahontas. Les Indiens sont nombreux. Vingt-cinq ou trente mille au moins rassemblés dans plus de deux cents villages. Ils chassent et pêchent bien sûr, mais ils pratiquent aussi l'agriculture et ont une organisation sociale et politique sophistiquée, qui fera dire au fameux capitaine John Smith que la forme de leur gouvernement est monarchique.

Les premiers contacts ne sont pas forcément mauvais. Les Indiens en tout cas auraient eu mille fois l'occasion d'en finir avec les Blancs. Non seulement ils ne l'ont pas fait, mais ils les ont même aidés, sauvés à plusieurs reprises. Les Américains sont censés s'en souvenir à chaque Thanksgiving mais, étrangement, ce n'est pas cela que leur mémoire collective a retenu. C'est même l'inverse, qui leur ferait croire que la générosité a été de leur côté…

Quand les colons arrivent, on estime que 7 à 10 millions d'Indiens vivent en Amérique du Nord.

La colonisation démarre en 1607 en Virginie, puis en 1620 au Maryland. Quelques groupes épars, peu nombreux, mais composés surtout d'agriculteurs à qui il faut bien trouver des terres. Et très vite, à mesure que les colonies augmentent en nombre, cet accaparement s'effectue au détriment des Indiens. En les repoussant, toujours plus loin.

En 1755, les treize colonies d'origine comptent un million d'habitants. Ils sont 4 millions en 1790. Treize en 1830 et 63 en 1890, l'année de Wounded Knee.

La dépossession des Indiens de la côte Est de leurs terres n'ira pas sans heurts. Mais elle se fera toujours en toute bonne conscience. Dans l'imaginaire colonial, l'Indien n'est pas un paysan. C'est un nomade. Et même lorsque ses champs s'étendent à l'infini, comme ce sont les femmes qui y travaillent, le colon européen n'y reconnaît pas le modèle traditionnel de l'agriculture et considère que ces terres sont vierges et bonnes à prendre. Il est vrai aussi que beaucoup d'entre elles sont abandonnées. Les tribus ont été décimées par les maladies arrivées d'Europe. Ces peuples, qui ne pratiquaient pas l'élevage, n'avaient développé aucune des résistances immunitaires des paysans européens, notamment contre la variole.

De proche en proche, les Indiens se retrouvent acculés sur les rives du Mississippi. Au début du XIXe siècle, une bonne partie d'entre eux l'ont traversé et sont déjà installés à l'ouest du grand fleuve.

Mais ce n'est pas suffisant. En 1830, le président Jackson signe le Indian Removal Act. L'acte officiel de déportation des Indiens. La résistance sera particulièrement forte dans le sud du pays. Là où sont établies celles que les Américains appellent, encore aujourd'hui, les « cinq tribus civilisées ». Il s'agit des Cherokee sur l'actuel territoire de la Géorgie, des deux Caroline, du Tennessee et du Kentucky. Des Creek, en Géorgie et en Alabama. Des Choctaw et des Chickasaw dans le Mississippi et en Alabama, et enfin des Séminoles qui peuplent la Floride.

Pourquoi ces tribus ont-elles droit au qualificatif de « civilisées » ? Parce qu'elles ressemblent, un peu, aux colons. Elles pratiquent la propriété privée des terres. Ce sont les hommes qui cultivent et non les femmes. L'agriculture dégage des surplus qui alimentent un marché, etc. Des cinq, les Cherokee sont les plus « semblables ». Ils ont une Constitution. Ils ont transcrit leur langue dans l'alphabet latin. Ils publient un journal bilingue, cherokee-anglais. Ils ont des écoles…

Mais peu importe, ils doivent faire place nette. Le président Jackson n'est pas un plaisantin. C'est un ancien *frontierman*. Un militaire qui a combattu les Creek et les Séminoles durant la guerre de 1812-1814. Il n'a aucune difficulté à convaincre le Congrès de signer son acte de déportation en 1830. Les Cherokee iront jusqu'à la Cour suprême. Merveille de duplicité et d'hypocrisie déjà, la démocratie américaine les reçoit et les écoute avant, bien sûr, de les débouter et de les déporter.

Certains vont se cacher, comme les Houma de Floride, réfugiés dans les derniers bayous. Ils emportent avec eux la langue française qu'ils ont toujours pratiquée au contact des « coureurs des bois » avec lesquels ils ont eu d'excellentes relations. Aujourd'hui encore, les vieilles générations ne parlent pas un mot d'anglais et comptent en piastres ce que rapporte la pêche à la « chevrette », entendez la crevette.

Mais, pour la plupart, ce qui s'ensuivit a été baptisé « The Trail of Tears », le sentier des larmes. Des milliers de kilomètres à pied dans les pires conditions. Un tiers au moins des Indiens périrent en chemin.

Les survivants se retrouvent déversés dans ce que les cartes de l'époque désignent officiellement comme les « Unorganized Territories ». Les grandes plaines de l'Ouest. Le « désert », selon la conception des colons. Une étendue sans intérêt et dont personne, à ce moment-là, ne veut. Les Indiens n'ont qu'à s'y débrouiller entre eux. Ils y seront tranquilles ! Pas pour longtemps.

En 1836, le premier convoi de pionniers pénètre dans les grandes plaines. Une centaine de personnes, pas plus. Quelques dizaines de chariots bâchés. Ils inaugurent l'Oregon Trail. Leur idée n'est pas de s'attarder dans ces étendues immenses, mais de traverser au plus vite. Les grandes plaines, sans arbres ou presque, sont réputées inhabitables et inhospitalières. Elles sont peuplées d'Indiens, dont on ignore tout mais qu'on redoute par principe. Une expédition militaire, menée par le major Stephen Long en 1819, a décrété qu'il s'agissait là du « Great American Desert », définitivement impropre à la colonisation.

Pour les Indiens des grandes plaines, c'est une aubaine, un sursis. Ils ont encore quelques décennies devant eux pour vivre comme ils l'ont toujours fait. Au milieu des espaces infinis, au rythme de la migration des bisons.

Les estimations divergent, mais le chiffre moyen est de 20 millions de têtes. Les hardes sont si grandes que les rares voyageurs racontent qu'ils ont pu chevaucher toute une journée sans voir la fin des bêtes ainsi rassemblées.

Dans les années qui suivent 1836 et le premier convoi, d'autres pionniers s'engagent sur l'Oregon Trail. À peine plus nombreux, négligeables. La première vraie rupture, c'est en 1848. Cette année-là, Brigham Young conduit ses coreligionnaires mormons vers la terre promise. Fuyant les persécutions dont ils sont victimes dans l'Illinois et le Missouri à cause de leur polygamie, les mormons empruntent à leur tour le Trail. Ils fondent Salt Lake City dans ce qui est aujourd'hui l'Utah. Ce sont cette fois des dizaines de milliers de colons et des milliers de chariots qui traversent les grandes plaines. La même année débute la ruée vers l'or. C'est le coup fatal. À l'infini sur l'Oregon Trail, on voit les bâches blanches barrer un horizon encore totalement vierge douze années auparavant.

Les heurts avec les Indiens sont inévitables. Les grandes plaines, il y a peu encore considérées comme un désert, sont devenues un obstacle. En 1830, on y déportait les Indiens pour qu'ils y vivent loin des Blancs. Mais voilà que désormais là aussi ils gênent. Il convient de les réduire afin d'assurer la sécurité et la fluidité du trafic incessant qui s'organise pour la conquête de l'Ouest. Leur sort sera scellé en quarante ans ! Deux générations, pas plus, pour éliminer une civilisation millénaire.

Comment faire ? Comment justifier le génocide et l'ethnocide ?

Il est remarquable de voir que l'Amérique du XIXe siècle se pose moins de questions que l'Espagne du XVIe. En 1542, Charles Quint place les Indiens (d'Amérique du Sud) sous sa protection. Il interdit l'esclavage, exige qu'on les traite avec humanité, en hommes libres. Il va même plus loin. Il suspend la colonisation et s'interroge sur la légitimité de la conquête institutionnelle. Ce sera le grand débat connu sous le nom de « controverse de Valladolid ». Faut-il convertir les Indiens par la force ou par l'exemple ? Par la conquête militaire et la domination ou par une colonisation pacifique exemplaire ? Il est remarquable de voir avec quelle profondeur et quelle exigence la société la plus avancée de son temps (XVIe siècle !) s'interroge sur la valeur relative des civilisations. Sont-elles d'égale dignité, païennes comme chrétiennes, comme le plaide Las Casas citant saint Thomas d'Aquin ? Ou bien les Indiens doivent-ils être placés sous tutelle pour leur propre bien, pour leur éviter de pratiquer le cannibalisme et les sacrifices humains, comme le soutient Sepulveda ?

Le débat se déroule sur deux années : 1550 et 1551. Il n'y a ni vainqueur, ni vaincu. Mais la ligne dure, celle de l'ethnocide, n'a pas triomphé. Le pouvoir n'a pas cédé devant les pressions des grands propriétaires, les *encomenderos*, pour qui le fait de s'interroger était déjà beaucoup trop. Grandeur d'un temps où l'élite, avec les outils intellectuels à sa disposition, se pose les questions les plus essentielles.

Trois siècles plus tard, le progrès ayant fait rage, les Américains expédient la chose beaucoup plus simplement. Les intérêts économiques priment. Ce n'est plus le moment de philosopher.

Ils commencent par anéantir les bisons, brûler les grandes plaines, jeter des tissus infectés par la variole dans les campements et faire donner l'armée jusqu'à plus soif.

Mais il faut à tout cela un habillage minimal. Le goût de l'ordre et une rigidité morale toute saxonne veulent que l'on justifie les choses. Même les pires. De Wounded Knee à Guantanamo, c'est une constante. Tout est toujours fait dans les formes, dans la légalité. Implacable. Au nom du droit, de la liberté et de la démocratie.

On trouve donc des arguments. Chez Adam Smith et sa fameuse théorie des âges de l'humanité, les Indiens sont considérés comme des enfants, l'adulte étant évidemment le colon. Ils sont, nous dit-on, à un stade de développement inférieur. Celui de la chasse et de la pêche, le summum étant d'atteindre l'âge du commerce. Avant d'être aberrant, c'est déjà tout simplement faux. Mais massacrés, déportés comme ils l'ont été, les Indiens agriculteurs, les Cherokee et leur journal bilingue ne sont plus que l'ombre d'eux-mêmes. Et pour ceux que cela ne suffit pas à convaincre, la science de l'époque, le polygénisme ou la craniologie, viennent confirmer, mesures à l'appui, que toutes les races ne sont pas égales et que justement les Indiens sont inférieurs…

Quoi qu'il en soit, à ces « enfants » on ne peut bien sûr reconnaître aucun droit. Ce raisonnement du milieu du XIXe siècle va résister plus de cent ans. La citoyenneté américaine ne sera accordée aux Indiens qu'en 1924. Et il faudra attendre 1953 pour qu'ils cessent d'être considérés comme des pupilles et qu'ils accèdent enfin aux mêmes droits que les autres Américains.

Il faut donc qu'ils obéissent et qu'ils fassent place nette. La pression démographique des colons est telle, le besoin de terres si grand, qu'aucun traité ne résiste. Et lorsque les Indiens ne veulent pas déguerpir, on les chasse par la violence, on les tue. Aucun droit de propriété réel ne leur a jamais été reconnu sur les terres qu'ils occupaient. S'il y a eu transaction financière, c'est au titre de dédommagement pour l'usufruit. Jamais au titre de la possession des terres. Et le droit de propriété ne leur sera accordé que dans les années 1930…

À la fin de la conquête de l'Ouest, les Indiens touchent le fond. On estime leur population à 300 000 personnes environ. Pas davantage.

La conquête et le peuplement de l'Amérique du Nord par les Européens auraient pu se faire au bénéfice de tous. Il n'en a rien été. L'avidité des colons et leur racisme ont mené un peuple au bord de l'extinction et détruit une culture, une civilisation.

Comment s'étonner dans ces conditions que les Indiens aient toujours été contre l'Amérique ? Ils ont résisté autant qu'ils ont pu à l'avancée des colons. Ils se sont alliés tout d'abord aux Français contre les Anglais, puis aux Britanniques contre les « révolutionnaires » américains.

Jusqu'en 1760, et la défaite française contre la Grande-Bretagne à l'issue de la guerre de Sept Ans, la plupart des grandes tribus sont alliées de la France.

L'immigration française est faible en nombre et ne constitue pas une menace. Elle est surtout composée d'hommes qui prennent femme dans les tribus et s'adaptent plus ou moins au mode de vie indien. Le traité de Paris en 1763, la cession de la Nouvelle-France à la Grande-Bretagne, est une terrible nouvelle. Sous la direction du chef Ottawa Pontiac, ils partent en guerre contre les Britanniques ; Detroit est assiégé.

Le roi George III décide de mettre de l'ordre dans les affaires américaines. Par sa proclamation royale de 1763, il partage en fait le territoire. Il fixe des limites à la colonisation pour mieux développer ce qui est déjà conquis. En conséquence, toute nouvelle implantation est suspendue vers l'ouest au-delà des monts Alleghany. Tout achat de terre y est interdit. À partir de là commence le territoire indien. Cette décision aurait pu changer la face de l'histoire. Mais elle arrive déjà trop tard. Les colons se sont battus contre les Indiens et contre les Français pour acquérir des droits sur ces étendues. Se les voir retirer est impensable. On ne dira jamais assez combien cette proclamation royale fut déterminante dans le déclenchement de la révolution américaine et la marche vers l'indépendance. L'Amérique s'est bâtie autant contre les Indiens que contre le pouvoir de la métropole. Contre les deux. Indissociables.

Quant aux Indiens, on a le sentiment qu'ils ont toujours su que la création des États-Unis entraînerait leur perte. Aujourd'hui encore, ils ne jouent pas le jeu et désespèrent souvent l'observateur le mieux intentionné. C'est comme s'ils étaient ailleurs, que plus rien ne les intéressait. Comme s'ils étaient figés, une fois pour toutes, dans un passé perdu. Lorsque le gouvernement fédéral a évoqué la possibilité de faire un parc national à Wounded Knee, les Indiens ont dit non, « vous en avez déjà fait assez comme cela »... Et puis, quand on leur a demandé ce qu'ils voulaient en faire, leur réponse désarmante a été : rien. « Laissez les choses comme elles sont », ont-ils simplement ajouté.

L'anéantissement des Indiens ne laisse pas tout le monde indifférent. Quelques voix s'élèvent alors aux États-Unis. Parmi les colons, les quakers font preuve d'une grande humanité. Les voyageurs français, eux, sont stupéfaits. De mai 1831 à février 1832, Alexis de Tocqueville et Gustave de Beaumont sont en mission en Amérique du Nord. Très vite, ils constatent que la liberté et la démocratie qui font la grandeur de la jeune République existent bien mais pour une seule communauté, les Blancs. Ils déplorent que cette expérience se déroule au détriment de ce qu'ils appellent « deux races infortunées », les Noirs et les Indiens. Il est vrai que ni l'un ni l'autre n'acceptent la théorie des âges de l'humanité. Comparant le sort des Indiens aux États-Unis et au Canada, les deux hommes en tirent des conclusions peu flatteuses pour les colons dont ils ne cessent de dénoncer la cupidité et la froideur.

Le sort réservé aux Indiens les terrifie au point qu'ils pensent leur race « condamnée à périr ». Ils les cherchent, veulent les rencontrer avant qu'il ne soit trop tard. « Nous semblions marcher sur les traces des indigènes », écrit Tocqueville dans *Quinze jours au désert.* « Il y a dix ans, nous disait-on, ils étaient ici, là cinq ans, là deux ans... – Ici, nous racontait un autre, se tenait le grand conseil des Iroquois. – Et que sont devenus les Indiens ? disais-je. – Les Indiens (...), c'est une race qui s'éteint ; ils ne sont pas faits pour la civilisation, elle les tue... » Et Tocqueville de conclure : « Au milieu de cette société si policée, si prude, si pédante de moralité et de vertu, on rencontre une insensibilité complète, une sorte d'égoïsme froid et implacable lorsqu'il s'agit des indigènes. »

Que savent-ils aujourd'hui, les Américains, de tout cela ? Que leur apprend-on de cette histoire retracée ici à grandes enjambées ? Si peu de chose ! Deux épisodes obsèdent les historiens américains et emplissent les manuels scolaires. La guerre d'indépendance et surtout la « Civil War », la guerre de Sécession. Ce qui a précédé la création des États-Unis y est survolé.

Bien sûr, il y avait des Indiens et ils étaient très différents les uns des autres au moment de ce qui est pudiquement appelé l'« exploration » du continent. Ils ont « beaucoup souffert » (comme le précise un livre de collège « Native american suffer »). Et Thanksgiving est plaisamment représenté par des scènes de genre où l'on voit des colons offrir de la nourriture à des Indiens, sans préciser que c'est en remerciement du fait que les Indiens les ont auparavant sauvés de la famine...

D'une manière générale, l'ignorance est à peu près totale. À la hauteur du désintérêt. Le système éducatif américain fait peu de place à la culture générale. Cette histoire si gênante est tue, et comme rien dans le présent ne vient la rappeler, la curiosité s'est éteinte d'elle-même.

Il est frappant de voir qu'il aura fallu attendre 2004 pour que Washington ait un musée indien. Jusque-là, il n'y avait aucun lieu dans la capitale fédérale pour rappeler la culture des autochtones. Le musée a trouvé place sur le Mall. Là où, depuis 1846, la Smithsonian Institution a créé les plus beaux musées qui soient, dédiés à l'art, à la science, à la conquête de l'espace ou à l'histoire. Mais personne n'avait songé aux premiers habitants du continent. L'endroit est décevant. C'est un bâtiment de béton sans grande signification. L'intérieur tient plus de la galerie marchande que du musée. De l'Alaska à la Terre de Feu, tout est mélangé. On n'y apprend rien ou presque.

Pas de vrai lieu de mémoire, peu de chose dans les programmes scolaires, rien à la télévision. Aucune série, aucun documentaire qui fasse une place aux Indiens. La loi des quotas n'est pas allée jusqu'à eux. Leurs drames n'ont pas inspiré les scénaristes grand public. Hollywood et l'industrie de la télévision multiplient les sorties sur tout et n'importe quoi, les monstres, l'esclavage, la conquête de l'espace, les *desperate housewives*, la lutte contre les méchants, les terroristes, etc. Mais rien, absolument rien, sur les Indiens et le génocide (à l'exception peut-être de *Danse avec les loups*, mais dont le héros est blanc). Pas une figure emblématique, pas une référence dans la production *main stream* de l'Amérique audiovisuelle, littéraire ou artistique. Le négationnisme par le vide. On ne dit pas qu'il ne s'est rien passé. On ne dit tout simplement rien !

De 300 000 au pire moment de leur histoire à la fin du XIXe siècle, les Indiens sont aujourd'hui près de 4 millions. Environ 1 % de la population. L'État fédéral reconnaît 566 tribus et le Bureau des affaires indiennes existe toujours !

Bien sûr, quelques Indiens ont réussi. Avocats, journalistes, médecins... Et évidemment quelques tribus ont gagné beaucoup d'argent depuis qu'une loi de 1980 les a autorisées à ouvrir des casinos sur le territoire de leurs réserves. Il y en a 350 aujourd'hui, les Indiens appellent cela le « nouveau bison ».

Mais, globalement, leur situation reste dramatique. Notamment dans les réserves. Le taux de chômage y atteint régulièrement 70 ou 80 %. La criminalité y est deux à trois fois supérieure à la moyenne nationale. Le taux de suicide aussi et l'espérance de vie ne dépasse guère 50 ans...

La question indienne semble aujourd'hui définitivement réglée et de la manière la plus radicale qui soit. Cent vingt ans après la conquête de l'Ouest, les Indiens n'existent plus. Ils ne sont plus un problème, pas même une composante mineure du paysage. Lors des élections, il n'y a pas de vote indien. Aucun candidat ne s'adresse à eux. Ils sont attentifs aux mineurs de charbon des Appalaches, aux immigrés latinos, aux transgenres. Mais pas une minute perdue pour les Indiens. Leur misère, leur dénuement se traduit en violence contre eux-mêmes. Alcoolisme, criminalité. Mais rien ne déborde de la réserve ou de la communauté, et personne n'y prête attention.

C'est ce qu'on peut appeler une extermination réussie. Où sont-ils, les Creek, les Hurons, les Iroquois, les Séminoles, les Miami, les Illinois, les Algonquins ? Où sont passés les Pequot, les Abénaqui, les Biloxi...

« Dans la langue iroquoise, écrit Chateaubriand dans *Voyage en Amérique*, les Indiens se donnaient le nom d'hommes de toujours, *ongore-ohoue* : ces hommes de toujours ont passé et l'étranger ne laissera bientôt aux héritiers légitimes de tout un monde que la terre de leurs tombeaux. »

Rayés de la carte. Rayés de la mémoire. Il y a quelques années, lorsque l'armée américaine faisait la chasse à Ben Laden, elle lui avait donné un nom de code : Geronimo.

Geronimo comme le grand chef apache mort en 1909 en Oklahoma. Geronimo avait mené la vie dure à l'armée américaine jusqu'à sa reddition en 1886. Ensuite, il se convertira au christianisme et mourra fermier en Oklahoma. Il a même participé à la parade d'investiture de Theodore Roosevelt en 1905. Mais rien n'y fait. Un Indien reste un Indien. Et l'ignorance mêlée à la bêtise a permis à ce nom, Geronimo, de franchir tous les barrages, jusqu'à la Maison Blanche, jusqu'à Barack Obama, pour devenir synonyme d'ennemi public numéro un. Geronimo, en 2010, toujours l'homme à abattre.

4

VIVRE ENSEMBLE

Qu'on approche de Minneapolis, de Denver, d'Atlanta ou de n'importe quelle grande ville américaine, on ressent toujours la même chose. Vu à travers le hublot de l'avion, le paysage semble idyllique. La nature, des bois le plus souvent à perte de vue tout autour de la cité. Puis, au fur et à mesure que l'avion amorce sa descente, l'impression se nuance. Ce qu'on avait pris pour une forêt apparaît constellé, grêlé de petits points. Difficilement lisible. Encore quelques pieds et on commence à comprendre. L'immense forêt est totalement mitée. Partout, des groupes de maisons. C'est comme s'ils s'évitaient les uns les autres. Quelques dizaines de villas ici et puis là. Entre ces lotissements, des corridors verts. Parfois une grosse haie, au mieux un bosquet, mais la forêt n'existe plus. Dévorée, dissoute dans cette urbanisation anarchique. Vue d'en haut on dirait un immense circuit imprimé qui tisse sa toile et quadrille tout à des dizaines de kilomètres de la ville.

Car ce n'est pas une banlieue et ses parcs que l'on survole. C'est bien autre chose. Nous sommes à 50-60 kilomètres des centres urbains. Ces lotissements poussent littéralement au milieu de rien. Une forêt si l'on est en Californie, une zone aride si l'on est dans le Nevada. Rien ne les relie entre eux mais tous sont connectés au réseau d'autoroutes qui desservent les zones commerciales et les lieux de travail.

Cette banlieue de la banlieue s'appelle les *exurbs*. En dehors de l'urbain. C'est le lieu de vie privilégié des Américains, celui qui croît le plus vite depuis une vingtaine d'années et qui, un moment frappé par la crise, repart de plus belle.

Vivre dans une *exurb*, c'est vivre en voiture. Les maisons y ont couramment trois ou quatre garages. Le propre de l'*exurb*, c'est qu'il n'y a rien autour. Pas d'école, pas de magasin, pas de travail. D'une certaine façon, il n'y a pas de voisin non plus. Ou plutôt seulement les voisins qu'on s'est choisis. Chaque lotissement est un cul-de-sac. N'y pénètrent que ceux qui y habitent ou ceux qui sont invités. L'*exurb* est un mode de vie désespérant. Qu'il soit pour ultrariches ou pour classe moyenne, le lotissement est tiré à quatre épingles. Pelouses tondues, pratiquement peignées en été. Feuilles ramassées en automne. Des fleurs, les mêmes partout, jamais en bouton, toujours en pleine floraison, changées par une armée de Latinos non déclarés. Pas une mauvaise herbe qui dépasse, pas un gosse qui joue dans la rue, pas un couple d'amoureux, pas un piéton, pas un chat de gouttière. Rien. L'ordre. Un lotissement témoin, si bien rangé que l'on se demande parfois s'il est vraiment habité.

Il l'est pourtant, et ses habitants portent un drôle de nom. Ce sont les *commuters*. C'est à eux que s'adressent les radios chaque matin et chaque fin d'après-midi pour les guider dans l'art difficile de la transhumance quotidienne. C'est une discipline qui consiste à parcourir deux fois par jour 50 ou 60 kilomètres en voiture pour aller de son lotissement à son lieu de travail et retour. Le *commuter* moyen y consacre environ trois heures. Il téléphone, lit ses mails, y répond, vide un ou deux mugs de café. Le tout dans un calme total qui confine à l'apathie au milieu des embouteillages.

Le gros avantage de l'*exurb*, c'est qu'on y est entre soi. Un entre-soi total. Les vieux avec les vieux, les *professionals* avec les *professionals*, les Blancs avec les Blancs…

Il n'y a dans ces lotissements aucune mixité sociale et il ne peut y en avoir. C'est même le principe. Chacun partage ici le même mode de vie, le même niveau de revenus. Un règlement draconien vient dire ce qui est possible et ce qui ne l'est pas. Les animaux domestiques, les enfants, les visites, etc. Et lorsqu'une maison se libère, le candidat au rachat doit être plébiscité à l'issue d'un vote par les autres propriétaires…

Cette procédure du vote n'est pas propre aux *exurbs*. Elle se pratique dans la plupart des immeubles, des villes ou des lotissements de banlieue. Finalement l'argent, dans ce cas précis, ne suffit pas, encore faut-il plaire, c'est-à-dire rassurer la petite communauté qui ne veut surtout pas être dérangée. Récemment, l'ambassadeur de France auprès des Nations unies à New York en a fait la triste expérience. Il convoitait un magnifique appartement sur Central Park, mais les copropriétaires ont estimé qu'un diplomate, ça reçoit trop… vote négatif.

D'une manière générale, l'Amérique vit en ghettos. La carte raciale de la capitale fédérale est spectaculaire. Washington est littéralement coupée en deux. Noire à l'est. Blanche à l'ouest. Pas de zone grise. Pas de recouvrement. Et rien ne change. Les Latinos qui arrivent se font leur petit ghetto à eux. Au centre, entre les deux communautés. Et il est organisé d'est en ouest, du plus pauvre au plus riche.

Ce phénomène n'est pas nouveau. Ce qui est sidérant, c'est qu'il dure. Il avait été parfaitement identifié dès la fin des années 1960. À la suite des émeutes qui touchèrent plus d'une centaine de villes après l'assassinat de Martin Luther King. On parlait alors de « ségrégation résidentielle ». Une commission fédérale avait proposé des moyens pour remédier à ce qui était considéré comme une « menace pour l'avenir de chaque Américain ».

Les politiques n'en tinrent jamais compte. Nixon par exemple écrivit : « Je suis convaincu que, de même que la ségrégation est une erreur, l'intégration forcée par la résidence ou l'école en est une également. » Reagan s'y opposa aussi. Clinton tenta timidement d'y remédier, mais sans succès. Aujourd'hui, les mesures pour corriger la « ségrégation résidentielle » sont toujours à l'état de projet après huit ans d'administration Obama...

Il n'y a dans ce pays guère de volonté de se mélanger à des gens différents. C'est même très largement ressenti comme insupportable. Une des conséquences les plus frappantes en est la rareté des couples mixtes. Si la quasi-totalité des Noirs américains ont plus ou moins du sang blanc, c'est la conséquence des viols de la période esclavagiste. Non d'un métissage actuel. Dans ce pays où les statistiques ethniques sont autorisées et largement pratiquées, on a une vision à peu près claire des unions mixtes.

Elles ont certes plus que doublé entre 1980 et aujourd'hui, passant de 6,7 % à presque 15 %. Mais, dans le détail, on constate que ce sont les Hispaniques et les Asiatiques, dont la population explose, qui fournissent les gros bataillons de cette nouvelle mixité. De même que ces mariages sont surreprésentés dans les États de l'Ouest, là où ces deux communautés sont les plus nombreuses. Les mariages entre Blancs et Noirs demeurent exceptionnels, même s'ils sont un peu plus nombreux qu'il y a trente ans. Et preuve que ce ne doit pas être facile, ils subissent un taux de divorce supérieur à celui des mariages endogamiques. La publicité, bon indicateur de l'état du pays, ne s'y est pas trompée. Si les minorités sont toujours présentes dans les spots commerciaux, on n'y voit jamais un couple mixte mais toujours des couples homogènes, blancs, noirs, latinos.

Il serait faux de croire que cette incapacité à vivre ensemble se limite à l'autre, à l'Afro-Américain, à l'Hispanique, au pauvre.

Le maître-mot aux États-Unis semble l'indifférence. L'Européen tombe souvent de haut. À la chaleur immédiate et parfaitement artificielle des relations professionnelles ou des occasions sociales succède le plus souvent une distance glaciale. Des comportements cordiaux qui laisseraient présager à peu près partout une relation amicale à venir ne sont ici qu'une commodité de la conversation qui n'engendre rien et laisse l'étranger dubitatif. Il n'est pas victime d'un traitement particulier. C'est tout simplement la norme aux États-Unis.

On a le sentiment que les Américains s'évitent. Jamais de contact visuel par exemple. Et si par hasard vous croisez le regard d'un inconnu, il se sentira obligé de vous dire bonjour pour sortir du profond malaise dans lequel cette situation le plonge. Si quelqu'un vous tient la porte, ce qui est rare, il sera terriblement surpris que vous lui disiez merci et répondra, d'un ton embarrassé, par un « hum hum ». Si une voiture se trouve bloquée sur un passage pour piétons, son conducteur restera les yeux rivés sur son pare-brise, sans un regard pour ceux qui le contournent en faisant semblant, eux aussi, de ne pas le voir…

Pour que la vie soit tout de même vivable au milieu de cette froide indifférence, il a fallu légiférer et tout codifier.

L'invention du politiquement correct, dans lequel certains ont voulu voir un progrès, est avant tout la preuve absolue de l'échec des relations intercommunautaires. Puisqu'on est incapables de vivre ensemble, demandons à la justice de produire des règlements afin d'éviter le pire. Qu'elle dise ce qui est autorisé et ce qui ne l'est pas. Quels mots employer et quels mots éviter, les comportements à adopter et ceux à proscrire. Cette codification légale au secours d'une infirmité relationnelle s'applique à tout. Les relations entre les communautés bien sûr, mais pas seulement. Les relations entre les hommes et les femmes sont devenues le sommet de ce que peut créer une société déshumanisée.

On serait tenté de croire que les jeunes sont moins concernés. Erreur ! Les campus universitaires en sont le parfait exemple. Voilà une population éduquée. La future élite du pays. Comment se conduit-elle ? Elle se regroupe tout d'abord dans des « fraternités ». Des clubs qui reproduisent les clivages sociaux et raciaux de leurs parents. Plus de 400 000 étudiants à travers tous les États-Unis en sont membres. Là, à l'intérieur de ces micromondes, de cet entre-soi tragique à l'âge où se forgent les personnalités, ces jeunes gens de bonne famille (les fraternités ne sont pas gratuites) tissent leur futur réseau et miment les comportements de leurs aînés.

L'une de ces fraternités a fait beaucoup parler d'elle. Comme la plupart, elle a puisé dans l'alphabet grec pour se baptiser : Sigma Alpha Epsilon, SAE. cela fait sérieux, pour tout dire universitaire. Hélas pour elle, la vidéo qui l'a rendue célèbre fin 2014 n'a rien d'académique. On y voit, dans un autocar qui les ramène d'une soirée, une bande de jeunes gens bien sous tous rapports. Garçons en majorité. Quelques filles. Tous blancs. En smoking ou robe du soir. Comme ils sont heureux, ils chantent. Le chef de chœur s'appelle Levi Pettit. On lui donnerait le bon Dieu sans confession. Comme à ses camarades d'ailleurs. Pas de crâne rasé ni de tatouage. Mais ce qu'ils entonnent est ahurissant. Il est question de « pendre les nègres à un arbre » et de bien préciser, était-ce nécessaire, « qu'il n'y en aura jamais à la SAE ».

L'université d'Oklahoma à laquelle appartient cette joyeuse bande ferme immédiatement la fraternité. On pense en avoir fini. Il ne peut s'agir que d'un dérapage local. SAE est l'une des plus grandes fraternités des États-Unis avec plus de 15 000 membres. Son porte-parole est sur toutes les chaînes de télévision. Indigné, il se confond en excuses. Las, on découvrira quelques jours plus tard que c'est lors d'une convention nationale de la SAE que les crétins de l'Oklahoma ont appris, entre autres, ce chant et que visiblement ce folklore est de règle dans leur fraternité et dans bien d'autres.

Mais ce n'est pas seulement dans le racisme ordinaire que se distingue l'Université américaine. La façon dont la future élite du pays envisage les relations homme-femme est accablante.

Un chiffre, un seul, suffit à illustrer le malaise. Une étudiante sur cinq est victime d'une agression sexuelle pendant ses études. Une sur cinq ! Le viol ou la tentative de viol, ce qui revient au même, est devenu la norme dans les relations entre les sexes. Qui s'étonnera ensuite que la *desperate housewife* d'un côté et l'*escort* de l'autre soient l'univers de référence de bon nombre de cadres supérieurs américains.

À l'âge où la séduction devrait tenir une place essentielle dans la vie de ces jeunes gens, ils se conduisent comme des soudards. Les fraternités, les beuveries systématiques lors des Spring Breaks, les vacances de printemps, sont le théâtre de ces agressions.

Longtemps les étudiantes se sont tues. C'est moins vrai aujourd'hui, et le monde universitaire, gêné, est bien obligé de se préoccuper de la question.

La Californie, jamais en retard d'une innovation, a trouvé la parade. L'État a promulgué une loi. Pas pour interdire le viol, non. Cela, en théorie, c'est déjà dans le code pénal. Mais pour essayer de civiliser un peu les relations entre étudiants. La loi, signée par le gouverneur Jerry Brown, dit donc qu'un consentement explicite doit être formulé avant toute relation sexuelle. Un consentement oral suffit. Pas besoin pour l'instant d'un document écrit. Selon le texte, les partenaires, mais on pense surtout à LA partenaire, doivent donner leur « accord explicite, conscient et volontaire ». Pas question donc d'extorquer un consentement par la force ou de profiter de l'état second d'une jeune femme. On pourrait penser que ça va de soi, mais Jerry Brown fait certainement bien de le préciser. On imagine les scènes cocasses ou tragiques que l'observance d'une telle loi peut entraîner...

Cette loi, qui porte le numéro 967, ravit Diane Klein, la porte-parole de l'université de Californie, de même que celui de l'association des étudiants. Sur le campus, on l'a d'ailleurs immédiatement surnommée « Yes Means Yes ». On serait plus rassuré sur son degré de compréhension par les étudiants s'ils l'avaient baptisée « No Means No »...

Les relations entre étudiants et professeurs sont également un sujet d'inquiétude. Heureusement, la prestigieuse université Harvard est dotée d'une « commission en charge de la politique sur les mauvais comportements sexuels ». L'objet de la commission n'apparaît pas spontanément évident, mais tout s'éclaire à la lecture de ses derniers travaux. Désormais, toute relation « romantique [*sic*] ou sexuelle » est interdite entre un étudiant de premier cycle et un enseignant. Que celui-ci soit l'enseignant de l'étudiant ou non. En deuxième cycle en revanche, chacun gagne un peu en autonomie. Cette fois, l'interdiction ne s'applique qu'entre enseignant et étudiant du même cursus.

La loi, le règlement toujours pour gérer ce qui devrait relever tout simplement de l'humain et du spontané. Et pour les faire appliquer, la police du campus. Le monde universitaire est un condensé de la société américaine. Un monde largement déshumanisé régi par les rapports de force et la violence.

La police se doit d'être omniprésente et spécialisée car, dès qu'il y a litige, c'est à elle qu'on s'adresse. C'est le règne du 911. Le numéro d'urgence. Il sert à tout. Pour les cas les plus graves comme pour les bricoles. Le constat à l'amiable n'existe pas aux États-Unis. Le moindre accrochage ou la moindre tôle froissée doivent être réglés par la police. Les adultes responsables qui conduisent ne peuvent pas échanger poliment leurs coordonnées et celles de leur assurance. Non, ils appellent la police. Ce recours systématique au père, à l'autorité, à l'ordre, a quelque chose d'immature qui met mal à l'aise. Il en va de même de la délation. Elle est aux États-Unis, comme souvent dans le monde anglo-saxon, considérée comme un réflexe civique.

Shirley n'en est pas revenue. Cette jeune mère de famille est tout sauf une irresponsable. C'est une grande bourgeoise washingtonienne. Sa famille est au carrefour de la politique et des médias depuis plusieurs générations. Un jour de printemps, alors qu'un avis de tempête a été déclenché comme cela arrive plusieurs fois par an, elle sort dans son jardin avec son bébé dans un « kangourou » pour ranger rapidement quelques affaires en prévision justement du mauvais temps qui s'annonce.

Quelques heures après, Shirley, ahurie, voit débarquer chez elle des policiers du service de protection de la petite enfance. Ils la somment de justifier son comportement dangereux et irresponsable. Ils lui expliquent qu'ils vont revenir le lendemain s'assurer que tout va bien, puis qu'elle sera convoquée à un entretien « pédagogique » et que si elle refuse de s'y rendre, des mesures seront envisagées, qui pourraient aller jusqu'au retrait de l'enfant… Désormais, Shirley a un dossier au Child

Protection Service. Il reste en général cinq ans avant d'être effacé. Et à la prochaine incartade, gare. Par exemple si elle décide de laisser son enfant seul à la maison, ne serait-ce qu'une demi-heure alors qu'il n'a pas 13 ans. Si les autorités l'apprennent, c'est la catastrophe. Shirley, qui venait d'emménager dans cette maison avec sa famille, a tout de suite compris qu'il ne faudrait pas plaisanter avec ses voisins.

Les enfants, d'une manière générale, sont un sujet sensible. Ils sont élevés contre le monde extérieur. Comme si, sorti du cocon familial, tout était danger. Ils sont systématiquement surprotégés par leurs parents. Beaucoup d'entre eux déploient sur leur trottoir des panneaux pour signaler aux automobilistes qu'un enfant, le leur, peut être là à jouer. Au lieu d'enseigner la prudence à leurs rejetons, ils trouvent normal de demander à tout le monde de ralentir… Les élèves sont également surévalués en permanence par une école qui ne leur dit jamais qu'ils font mal ou qu'ils ont tort. Ce n'est pas la meilleure façon de préparer des êtres humains à vivre avec l'autre.

Les récits de délation sont légion. Parfois dramatiques, souvent, et c'est le plus sidérant, pour des broutilles. Les plus banals, les plus systématiques concernent l'entretien des jardins. Celui qui ne tond pas sa pelouse verra rapidement arriver la police. Il pourra remercier son voisin, celui-là même qui le salue chaleureusement à chaque fois qu'il le croise, mais qui préférera composer le 911 plutôt que de sonner à sa porte pour lui dire qu'il fait trop de bruit, qu'il est mal garé ou qu'il ne prend pas suffisamment soin de son jardin.

Dans ces conditions, pas étonnant que l'Amérique soit devenue le paradis du contentieux et donc des avocats.

Sept avocats sur dix dans le monde exercent aux États-Unis. Ils ont envahi la sphère politique. Six sénateurs sur dix sont d'anciens avocats et 40 % des élus à la Chambre des représentants.

Ils font ici partie des produits de grande consommation. Il n'est pas rare de les voir vanter leurs performances sur des panneaux d'affichage le long des autoroutes, comme les marques de lessive ou les fast-foods, qu'ils soient avocats spécialisés dans les accidents de la route, dans les problèmes avec la police, ou dans les questions d'immigration. Dans ce dernier cas, la publicité est toujours rédigée en anglais et en espagnol. Tous les éléments de la vie quotidienne peuvent se transformer en litige : le moindre pépin à l'hôpital ou chez son dentiste, le moindre accrochage qui peut réveiller une blessure ancienne et valoir des dizaines de milliers de dollars de dommages et intérêts après des années de procédure. Peu de contentieux vont jusqu'au procès. Mais saisir son avocat, c'est pratiquement l'assurance d'obtenir *in fine* une transaction à l'amiable et donc de gagner un peu ou beaucoup d'argent. Certains sont très créatifs. C'est le cas de Nick Loeb, par exemple.

Nick est un fils de bonne famille. Son père a été ambassadeur en Europe. Son oncle est un homme d'affaires réputé. Nick, lui, se cherche. Un peu producteur, un temps acteur, puis businessman, il a créé une société de condiments. Un peu play-boy aussi. Après un premier divorce, Nick s'éprend de Sofia Vergara. C'est une actrice, vedette de la série populaire *Modern Family* sur ABC. Entre Nick et Sofia, c'est du sérieux. Pas au point de faire un enfant, mais assez tout de même pour congeler deux embryons. Pour Sofia, qui vient de dépasser la quarantaine, il s'agit certainement de ne pas hypothéquer une carrière qui, à ce moment-là, culmine. Malheureusement, comme cela arrive parfois, leur histoire d'amour s'interrompt. Commence alors leur histoire judiciaire.

Nick se découvre soudain une passion pour la vie. Elle commence dès la conception, dit-il. Il y adjoint une vocation paternelle indéfectible. Il ne veut pas d'argent, il le jure, mais il tient à vivre pleinement ses convictions philosophiques et sa vie de père potentiel avec ses deux petites filles, pour l'instant congelées au stade embryonnaire. Sofia, elle, on s'en doute, est plus mesurée. Elle sait que les deux embryons sont depuis toujours sous contrat ; aucune des deux parties ne peut en disposer sans l'accord de l'autre. Elle ne peut donc pas les détruire, même si on imagine qu'après s'être débarrassée du géniteur, le projet parental lui tient moins à cœur. Elle propose donc – peut-elle faire autrement ? – de les garder, congelés pour l'éternité. Tout cela coûte une fortune en avocats et va durer des années, mais passionne l'Amérique. Plus fort que *Modern Family*, voici *Ma vie privée judiciaire*, une série au nombre de saisons illimité.

Ce recours à la loi systématique, cet amour de l'ordre, cette perte du sens humain le plus élémentaire ont atteint un sommet (provisoire) avec les mésaventures de Thomas Lopez.

C'est un jeune homme de 21 ans. Maître-nageur sauveteur. Il est employé par la compagnie Jeff Ellis Management. Une société privée qui fournit à la ville de Hallandale Beach, en Floride, des sauveteurs pour sécuriser ses plages.

En ce jour de juillet, Lopez est de service sur sa portion de littoral lorsqu'il aperçoit à quelques dizaines de mètres un nageur en perdition. Lopez n'hésite pas, il se précipite à son secours. Funeste erreur. L'homme est en train de se noyer, certes, mais en dehors, de quelques mètres, de la partie de plage que Lopez est censé surveiller.

Le nageur est sauvé par Lopez et deux autres sauveteurs accourus à la rescousse. Mais il y a abandon de poste. Le maître-nageur aurait dû, dit le règlement, rester sur sa chaise et appeler la police. Jeff Ellis Management le licencie donc sans hésiter, ainsi que ses deux camarades.

On a beau être aux États-Unis, des voix s'élèvent pour critiquer cette décision. À commencer par le maire de Hallandale Beach, qui trouve que tout cela fait une très mauvaise publicité à sa ville et félicite au contraire le jeune homme. Il a tout de même sauvé une vie !

La société Jeff Ellis Management, ébranlée, reconsidère la sanction et propose à Lopez de reprendre son emploi. JEM considère qu'elle est allée trop vite. Pourquoi ? Parce qu'elle réalise que son employé est un héros et a réagi comme n'importe quel être humain l'aurait fait ? Pas du tout. JEM, après enquête, s'aperçoit que d'autres maîtres-nageurs surveillaient la partie de plage de Lopez pendant que celui-ci, de l'autre côté de la frontière réglementaire, sauvait un homme en train de se noyer. Il n'y a donc pas faute. Lopez a décliné l'offre et a cherché du travail ailleurs. JEM existe toujours, elle n'a été ni boycottée ni mise au ban des sociétés de surveillance. À notre connaissance, son règlement intérieur n'a pas été modifié.

5

PAS DE PITIÉ POUR LES PAUVRES

C'EST UN ÉTRANGE BALLET. Chaque fin d'après-midi, les unes après les autres, les voitures des employés du comté quittent le parking au pied de leurs immeubles de bureaux, puis, à 19 heures précises, lorsque la place est vide, arrivent d'autres véhicules. Des modèles plus anciens, sans aucun signe extérieur de luxe. Ils se dirigent sans hésitation vers leurs emplacements, à distance les uns des autres, comme pour se blottir, à l'écart, dans le halo d'un réverbère, contre un bac à fleur en béton. On dirait que leurs conducteurs recherchent un peu d'intimité au milieu de ce parking désert. Ils sont douze, pas plus, autorisés à venir ici passer la nuit. À 7 heures demain matin, il leur faudra déguerpir et ne pas revenir avant le soir. C'est ce qu'on appelle un *safe parking*, un parking sûr. N'allez pas croire qu'il s'agit d'un parking gardé, non ! C'est plutôt le contraire. Un parking sûr est un parking d'où la police n'a pas le droit de vous déloger. Il y en a vingt-trois ici à Santa Barbara, en Californie. Ils offrent de cinq à quinze places. Ils sont pleins tous les soirs et la liste d'attente est longue...

Rick Spencer s'estime donc heureux de faire partie des « privilégiés » qui peuvent se garer là. Il a 67 ans. C'est un vétéran du Vietnam. Rick a toujours travaillé, il a connu des fortunes diverses. Il a même dirigé, au sommet de sa vie professionnelle, une petite entreprise de haut-parleurs. Aujourd'hui, Rick touche 864 dollars de retraite chaque mois et vit dans un break Oldsmobile des années 1980. De son passage dans la Navy, il a gardé, dit-il, une capacité à s'organiser dans un espace réduit. À l'arrière du véhicule, tout est rangé au millimètre. Chaque chose dans une boîte, et chaque boîte dans son logement. Réchaud, victuailles, vêtements, nécessaire de toilette... Sa routine est immuable. Il quitte le parking peu avant 7 heures, direction le club de gym le moins cher de Santa Barbara. Pour 30 dollars par mois, il a accès aux appareils de musculation, ce dont il n'a rien à faire, et aux douches, ce qui change tout. Puis il erre toute la journée, contraint par les lieux où il peut laisser sa voiture sans risque d'amende ou, pire, de se la faire enlever. Il se rend aussi, chaque jour, dans une amicale de vétérans, tue le temps comme il peut, prend des nouvelles de son dossier pour l'attribution d'un logement, qui n'avance pas depuis des années. Rick est d'une dignité totale. Son discours est sobre, économe de superlatifs. Il avoue juste, d'une voix calme, au moment de mettre un terme à notre conversation, que c'est « déprimant », il risque même le mot « torture », et, pas de doute, c'est bien ainsi qu'il vit sa situation.

À quelques dizaines de mètres de là, sa voisine de parking. Margareth et son SUV rouge. Ou plutôt ses deux SUV rouges. Margareth vit là avec son fils handicapé. Chacun sa voiture, chacun sa chambre. Par dérogation, le *sport utility vehicule*, véhicule utilitaire de type sport, du fils peut rester garé toute la journée. Margareth a 69 ans, son fils 41. Elle l'emmène dans sa tournée des maisons où elle fait le ménage. Douze heures de travail quotidien pour environ 3 000 dollars par mois. Ce n'est pas rien, c'est un salaire de classe moyenne. Mais Margareth, comme des millions d'Américains, est surendettée. Elle doit encore 48 000 dollars à divers organismes de crédit. Elle a collectionné les cartes du même nom, celles des banques et des magasins ; aux États-Unis chaque marque ou presque a la sienne. Margareth a fait de la cavalerie, passant de l'une à l'autre au gré de ses découverts. Il faut dire que, dans ce pays, les cartes de crédit ne fonctionnent pas comme en France. On achète et puis on choisit, à la fin du mois, de rembourser tout ou partie de ce que l'on doit. On peut même ne rien payer du tout et reporter l'encours sur le mois suivant. Mais, évidemment, les intérêts courent. Et leur taux devient vite prohibitif, jusqu'à 22,99 %, le maximum autorisé par la loi. Laissez dans de telles conditions quelques milliers de dollars non remboursés sur des cartes pendant plusieurs mois, et c'est la faillite assurée. Margareth se bagarre pour rembourser le plus vite possible et espère trouver un logement pour elle et son fils. Mais même en travaillant sept jours sur sept, il est peu probable qu'elle y parvienne.

Aux États-Unis, on peut être pauvre, et même SDF, si on n'a pas assez cotisé pour sa retraite, ou si l'on est surendetté. Mais on peut aussi le devenir en étant tout simplement un salarié du bas de l'échelle. C'est ce qu'on appelle les *working poors*, les travailleurs pauvres. Les Américains n'en ont pas le monopole, mais il faut leur rendre cette justice, ce sont eux qui ont inventé le concept et c'est aux États-Unis qu'ils sont les plus nombreux.

Ils fournissent notamment les gros bataillons des employés des fast-foods et de la grande distribution. L'Amérique les a redécouverts au sortir de la crise, en 2012. Pour la première fois, les salariés des fast-foods se sont mis en grève. Deux cents personnes, pas plus. Mais le mouvement a pris de l'ampleur. Il a gagné une soixantaine de villes en quelques mois, puis cent cinquante en 2014, plus de deux cents en 2015… C'est au départ une campagne spontanée, qui s'est peu à peu organisée autour d'une revendication commune : obtenir 15 dollars de l'heure. Le salaire minimum fédéral était, fin 2015, de 7,25 dollars. Les salariés des fast-foods constituent une population volatile, sont embauchés ou licenciés en un clin d'œil. Ils ne sont pas syndiqués, et leur salaire, en moyenne, n'atteint pas 10 dollars. Le secteur est régi par une association professionnelle redoutable, la NRA, la National Restaurant Association, à ne pas confondre avec le lobby des armes, la National Rifle Association, bien qu'elles aient en commun cynisme et efficacité. La NRA, par exemple, a réussi à bloquer dans la plupart des États des initiatives visant à relever le minimum légal (aux États-Unis, il peut exister trois salaires minimum, fédéral, par État ou par ville, c'est le plus avantageux pour les salariés qui s'applique). Elle s'oppose aussi systématiquement à l'instauration de congés maladie…

Les salariés de la grande distribution ne sont guère mieux lotis. Eux aussi se mettent en grève, notamment chez Walmart, le premier employeur du pays avec 1,3 million de salariés : 825 000 d'entre eux gagnaient en 2013 moins de 25 000 dollars par an. Pour les non-cadres, le salaire moyen était de 8,86 dollars de l'heure. Après avoir résisté, Walmart, qui a fait 16 milliards de profits en 2015, a finalement accepté cette année-là de porter son salaire minimum à 10,10 dollars de l'heure et a même promis d'envisager, dans quelques années, de passer à 15 dollars…

Dix dollars aujourd'hui, c'est moins que le Smic français, sans couverture sociale et sans vacances. C'est de toute façon nettement insuffisant pour vivre décemment aux États-Unis, qu'on soit célibataire ou en famille. L'Amérique affiche un taux de chômage très bas dont elle est très fière. Elle n'y parvient qu'en multipliant ce genre de postes sous-qualifiés et sous-payés. Et encore. Le taux de chômage réel est bien supérieur au taux officiel. Beaucoup de demandeurs d'emploi préfèrent se désinscrire des listes plutôt que de devoir accepter des jobs avec lesquels, de toute façon, on ne peut pas vivre.

La créativité des patrons américains dans ce domaine est sans limites. Ainsi, Amazon vient d'inventer un nouveau concept : Flex ! « Soyez votre propre chef, livrez quand vous voulez et autant que vous voulez. » Voilà son slogan. Pour être « son propre chef », il faut avoir 21 ans, une voiture et un Smartphone. L'assurance, l'essence, le forfait sont à votre charge. Pour un salaire compris entre 18 et 25 dollars de l'heure, vous pourrez livrer quand vous voulez, autant que vous voulez, dans la limite des besoins d'Amazon, sans aucune assurance ni couverture maladie ou chômage. Déduction faite des charges, le livreur Flex gagne à peine le salaire minimum. C'est une sorte d'« uberisation » de la livraison, dont on voit bien qu'elle va s'appliquer très vite à tous les secteurs où cela est possible.

Pas étonnant, dans ces conditions, que les foyers pour SDF regorgent de salariés en détresse. À New York, ils abritent plus de 50 000 personnes, dont une grande majorité de familles. Dans plus d'une famille sur quatre qui a recours à ces refuges, il y a au moins un salarié. Parfois deux. Et 16 % des célibataires SDF ont un travail. Ils sont agents de sécurité, gardiens de parking, vendeurs de grand magasin, salariés de fast-food… La quasi-totalité d'entre eux, 80 %, a un travail, ou a travaillé dans un passé récent. Chez la plupart, le sentiment de découragement est total. Aucune perspective de promotion ni d'augmentation de salaire. Et des loyers, ils le savent, inabordables pour quiconque est payé autour du salaire minimum. Ce qui est vrai à New York l'est aussi à l'autre bout du pays. Los Angeles est la capitale des sans-abris. Leur population a crû de 12 % entre 2013 et 2015 à cause de l'inflation des loyers. Des milliers de gens qui pouvaient se loger se sont retrouvés expulsés sans recours. Là comme partout, ce n'est pas le chômage qui est en cause mais la faiblesse des salaires. Le salaire minimum à Los Angeles est pourtant de 9 dollars de l'heure en 2015, mieux que le minimum fédéral, mieux que dans beaucoup de villes. Los Angeles a décidé de le porter à 15 dollars par étapes d'ici à 2019. Quinze dollars, c'est plus que ce que gagne aujourd'hui la moitié des salariés de LA.

La pauvreté a atteint un tel niveau aux États-Unis que des villes, des États, des grandes compagnies et même des politiques s'en émeuvent. Un consensus semble se dégager pour atteindre rapidement 10 dollars de salaire horaire. Walmart, Target ou McDonald's sont déjà d'accord. Un certain nombre d'États et de villes aussi. Douze dollars d'ici à 2020 semble un autre objectif raisonnable. C'est en tout cas la proposition du Parti démocrate. Quinze dollars à terme comme à LA ou comme le souhaite le gouverneur de l'État de New York, Andrew Cuomo, est un seuil symbolique qui effraie beaucoup d'Américains. Dans un récent sondage, 60 % d'entre eux se disent opposés à ce que les employés des fast-foods soient rémunérés à ce tarif…

Il y a près de 50 millions de personnes qui vivent en dessous du seuil de pauvreté aux États-Unis. Le chiffre varie légèrement d'une année à l'autre, plus en fonction des seuils retenus que de l'évolution de la situation économique du pays. Ce qui est frappant, c'est que ce chiffre, qui a explosé avec la grande récession de 2008-2011, ne s'améliore pas avec la reprise. Près de 50 millions de pauvres et autant de gens abonnés à la soupe populaire. Son nom officiel, c'est « SNAP » pour Supplemental Nutrition Assistance Program. Mais tout le monde dit *food stamp*, que l'on pourrait traduire par « bon de soupe ». Et 47 à 48 millions d'Américains mangent chaque jour grâce aux *food stamps*, et un sur deux est un enfant. La situation est si dégradée que toutes les écoles publiques du pays commencent la journée par un petit déjeuner gratuit. C'est souvent, pour beaucoup d'élèves, le seul vrai repas. Dans le sud et l'ouest du pays, et pour la première fois depuis un demi-siècle, les enfants pauvres sont devenus la majorité au sein à l'école publique. En dehors des petits déjeuners gratuits, ces écoles servent des repas à prix réduit sous condition de ressources. Même au Texas, un enfant sur deux y a droit. C'est 54 % en Californie, 66 % dans le Mississippi, etc.

Cette aide alimentaire coûte une fortune au pays. *Les food stamps* en 2015, c'est 74 milliards de dollars. Ce n'était que 38 en 2008, avant la crise. Cette inflation de la dépense fait hurler les républicains. L'un d'entre eux, durant la campagne présidentielle de 2012, avait qualifié Barack Obama de « Food Stamp President ». Une formule aux relents racistes à peine dissimulés tant est grand le préjugé selon lequel les Noirs seraient les premiers bénéficiaires de cette aide. Les *food stamps* coûtent cher, mais tous les riches ne prônent pas leur restriction. Chaque fois que les élus républicains au Congrès menacent de couper les vivres, quelques grandes entreprises montent au créneau et la première d'entre elles est Walmart, car 18 % de la manne sont dépensés dans ses magasins. Pepsi, Coca, Kraft Food et quelques autres ont aussi une pensée émue pour les pauvres…

La « grande récession », comme l'appellent les Américains, a accentué la pauvreté aux États-Unis. La reprise n'a pas inversé le mouvement. C'est ce qu'il y a de plus surprenant et de plus inquiétant dans l'évolution de la société américaine. Après la « grande dépression » de 1929, l'Amérique était revenue à ses fondamentaux et la classe moyenne avait renoué avec la prospérité. Rien de tout cela depuis 2011.

La reprise ne profite qu'aux riches. On estime que 95 % des gains depuis la fin de la crise sont allés aux fameux 1 % (et même 60 % de ces gains aux 0,1 %). Barack Obama, après sept années à la Maison Blanche, s'en indignait en 2015 dans un discours sur la pauvreté dans lequel il faisait remarquer que, « à vingt-cinq, les présidents des plus grands *hedge funds* du pays gagnent plus que tous les enseignants des écoles maternelles réunis ». Conséquence, le revenu moyen des familles ne progresse pas et la proportion de pauvres ne diminue pas. Cela est vrai pour tout le monde, quelle que soit l'appartenance ethnique. Voilà au moins un domaine où l'Amérique est entrée dans l'ère postraciale. Ce qui domine désormais, c'est la distinction de classe sociale. Les républicains ont du mal à l'accepter. Ils demeurent figés dans une vision de l'Amérique qui les arrange, mais qui ne correspond plus à la réalité. Celle d'un pays où tout le monde, à égalité, aurait sa chance. Écoutez Marco Rubio, candidat à l'investiture pour la présidentielle de 2016 et étoile montante du Parti républicain : « Nous n'avons jamais été une nation de possédants et de pauvres [*nation of haves and have-nots*], nous sommes une nation de possédants et de possédants en devenir, de gens qui ont réussi et de gens qui vont réussir. » C'est aussi touchant que faux. Tous les indicateurs le prouvent. Le fossé social est de plus en plus infranchissable. Tout y concourt, à commencer par le prix des études. Un bon outil pour s'en convaincre est l'Intergenerational Income Elasticity, qui mesure la mobilité sociale d'une génération à l'autre. Les États-Unis sont, au sein des grandes nations développées, parmi les derniers. La mobilité sociale est deux fois plus forte au Canada qu'aux États-Unis.

La crise a appauvri les pauvres, puis la reprise a enrichi les riches, mais elle a également stimulé les prédateurs.

En 2013, à l'issue d'une enquête de plus de dix mois, trois reporters du *Washington Post* ont dévoilé l'une des pratiques les plus choquantes de l'Amérique.

L'histoire de Bennie Coleman est emblématique de ce scandale. Un jour de printemps 2013, à Washington, ce sergent des troupes de marines à la retraite voit arriver chez lui la police. Les officiers l'expulsent et tiennent la porte aux déménageurs qui entrent dans la foulée. Assis sur une chaise pliante, de l'autre côté de la rue, Coleman, 76 ans, assiste impuissant à la scène. Ses meubles, ses vêtements, ses souvenirs s'empilent sur le trottoir devant ce qui vient de cesser d'être sa maison. En quelques heures, le vieil homme se retrouve à la rue, sans nulle part où aller, toute sa vie rangée dans des cartons.

Comment en est-il arrivé là ? Tout simplement parce qu'il a oublié de payer 134 dollars de taxe foncière. Après le délai légal, l'administration y ajoute 183 dollars d'intérêts et de pénalités. Nous voilà à 317 dollars de dette. Presque insignifiant. Mais se produit alors l'impensable. L'administration vend la dette aux enchères comme cela se pratique dans d'autres États. Des « investisseurs », on ne sait trop comment les appeler, rachètent cette créance dans l'intention évidente de s'enrichir. Du jour où ils en sont détenteurs, les intérêts commencent à courir : 18 %. S'y ajoutent des frais dits « légaux », des honoraires d'avocats qui sont facturés jusqu'à 450 dollars de l'heure. Au bout de six mois, si la dette n'est pas réglée, l'« investisseur » peut aller devant la justice réclamer la saisie de la maison. Dans le cas de Coleman, au bout des six mois, 4999 dollars d'intérêts et de frais légaux étaient venus s'ajouter aux 317 du départ. Le vieil homme, qui n'a plus toute sa tête, paye ces 317 dollars et fait un premier chèque de 700 pour le reste. Puis il oublie de payer le solde. Il n'y a pas de deuxième chance. Sa maison est saisie. Elle est estimée à 71 000 dollars. Elle sera revendue peu de temps après 197 000… Coleman vit désormais dans un institut médicalisé où il est traité pour un début d'Alzheimer.

À Washington, sur un millier de maisons saisies ainsi, deux cents l'ont été pour des dettes originelles inférieures à 1000 dollars. La plupart des victimes sont âgées. Souvent seules. Hors d'état de réaliser ce qui leur arrive. On a même vu des juges prononcer des saisies pendant que les propriétaires étaient hospitalisés, incapables de se défendre.

S'il est un pays où la justice accable les pauvres, c'est bien les États-Unis. Le principe même de la caution, qui régit toute la chaîne judiciaire de la simple infraction jusqu'au crime, vient l'entériner. Un certain nombre de juristes américains s'en émeuvent. Des associations comme l'American Civil Liberties Union, la plus connue, mènent une guerre de tranchées contre cette justice par l'argent. Elles poursuivent systématiquement les villes ou les comtés pour discrimination chaque fois qu'un pauvre est incarcéré pour non-paiement d'amendes ou bien s'il reste en prison pour une infraction bénigne au motif qu'il n'a pas pu réunir la caution. Mais dans un pays où être riche est une vertu, être pauvre est plus qu'un inconvénient, c'est une faute.

6

LA JUNGLE

C'EST UN CAUCHEMAR. PLUS de 3000 morts. Cent vingt-huit mille personnes hospitalisées. Un Américain sur six touché. Pire que le 11-Septembre ! D'autant qu'il se répète chaque année. Les responsables sont connus. Il faudrait que l'Amérique parte en guerre, comme elle l'a fait contre le terrorisme, en espérant de meilleurs résultats bien sûr. Ce devrait être l'urgence absolue. Mais personne ne bouge. *E. coli* et salmonelle continuent leurs ravages, en se moquant pas mal du bain d'ammoniaque dans lequel l'industrie trempe ses poulets… Il n'y a aux États-Unis aucune sécurité alimentaire. Il faut dire que les 3000 morts sont majoritairement pauvres et noirs. Mais pas seulement, et les 48 millions de personnes qui tombent malades chaque année à cause d'une nourriture corrompue appartiennent à toutes les couches sociales. Entendons-nous bien, nous ne parlons pas là des conséquences de la malbouffe. Non, ce bilan de catastrophe naturelle est seulement la conséquence d'intoxications à répétition.

Tous les écoliers ont lu *The Jungle*, « La Jungle », l'immense best-seller d'Upton Sinclair publié en 1906. L'action se déroule à Chicago, dans les plus grands abattoirs du pays, au tout début du xxe siècle. C'est un roman dans lequel tout est vrai. Les politiciens et les forces de police corrompus par l'industrie de la viande. Les immigrés d'Europe de l'Est qui travaillent comme des esclaves sur les chaînes d'équarrissage. Enfin et surtout l'absence totale d'hygiène et de scrupules tout au long du processus de fabrication d'une nourriture immonde. Les descriptions sont si réalistes, le scandale si grand à la parution du livre que Theodore Roosevelt convoque Sinclair pour se faire confirmer les faits. Il crée dans la foulée la FDA, la Food and Drug Administration, chargée en principe de veiller à la qualité sanitaire de la nourriture, avec un siècle plus tard le résultat que l'on sait.

L'Amérique avait pourtant tout pour elle. Au xviiie siècle, l'agriculture est si prolifique que les colons sont en meilleure santé et ont une espérance de vie plus longue que leurs cousins d'Europe. Mais la situation se dégrade très vite. En quelques générations, dès la révolution industrielle. La course au profit et la nécessité de nourrir les millions d'immigrants peu exigeants qui s'entassent dans les villes aboutissent au désastre sanitaire décrit par Upton Sinclair. Dans les années 1930, la création des premiers *drive-in* va entraîner l'invention du fast-food. Les frères McDonald vont appliquer à la restauration les méthodes de l'industrie. Hyperspécialisation de tâches répétitives effectuées par une main-d'œuvre non qualifiée. Diminution du coût des matières premières, diminution du coût de la main-d'œuvre, pour un profit toujours plus grand. Les McDonald et leurs imitateurs vont grandir tant et si bien qu'ils vont faire main basse sur toute la filière agricole américaine. Très vite, l'industrie du fast-food devient le premier acheteur de tout. De pommes de terre, de tomates, de laitues, de poulet, de bœuf… Ce sont eux qui posent leurs conditions aux producteurs, qui n'ont d'autre choix que de s'aligner. Et, au bout du compte, même lorsqu'elle ne va pas chez McDo, toute l'Amérique se met à manger des produits conçus pour l'industrie du fast-food.

Aujourd'hui, se nourrir correctement aux États-Unis reste un défi. Même en dépensant beaucoup d'argent dans les magasins de luxe, on n'est pas certain du résultat. Des chaînes pour bobos comme Whole Foods ont fleuri sur le terreau de la malbouffe. On y trouve de tout, des produits bio comme des poulets bourrés d'hormones et d'antibiotiques, mais toujours soigneusement présentés et à des prix inabordables pour 90 % des consommateurs. Les Américains sont conscients de la médiocrité de leur cuisine et de leurs produits. Du moins ceux qui ont voyagé. Celui qui a parcouru l'Europe, et surtout la France ou l'Italie, vous dira toujours, à l'évocation de ces voyages, avec des trémolos dans la voix et des étoiles dans les yeux : «*Ah the food, the food !*» La nourriture ! Quelle expression. C'en est souvent gênant. On aurait préféré qu'il célèbre la gastronomie, les restaurants…

Dans les rayons des supermarchés, on voit parfois sur certains produits, écrit en gros pour attirer le chaland, « *real food* », nourriture véritable. Comment peut-on en arriver là ? Comment peut-on acheter une pizza étiquetée « *real cheese* » ? C'est l'industrie du poulet qui a tout inventé et servi de modèle. En 1950, il fallait soixante-dix jours pour élever un poulet consommable. Aujourd'hui, quarante-huit. Les animaux, physiquement débiles, à peine capables de tenir sur leurs pattes, grossissent à vue d'œil dans des poulaillers géants où la lumière du jour ne pénètre jamais. Bourrés d'hormones, d'antibiotiques et de résidus de maïs, ils se retrouvent dans les rayons des supermarchés, enduits de sauce pour leur donner du goût, dans des barquettes en plastique, prêts à être consommés pour 6 ou 7 dollars. Car la caractéristique essentielle de cette nourriture tragique est qu'elle ne coûte rien, que, dans tous les sens du terme, elle ne vaut rien.

Il faut entrer dans les chaînes de fast-foods les plus basiques pour réaliser. Taco Bell par exemple. Même la plupart des touristes les évitent. Pour 3 dollars on y sert un repas complet. À emporter ou à consommer sur place. Entrée, plat, dessert. Trois objets alimentaires soigneusement présentés. Le tout dans un bâtiment propre, éclairé, climatisé, peuplé d'une armée de travailleurs pauvres qui s'y affairent sept jours sur sept et la plupart du temps vingt-quatre heures sur vingt-quatre. Lorsque toute cette main-d'œuvre et cette infrastructure ont été payées, que reste-t-il pour la nourriture ? Rien ou presque, quelques cents… Le prix de la malbouffe et de l'insécurité alimentaire.

La production agricole américaine est terriblement concentrée et spécialisée. Le seul objectif est de minimiser les coûts et de maximiser les profits. Cela finit par se voir dans les rayons des supermarchés, qui sont du reste le seul endroit où l'on peut acheter de la nourriture. Ainsi, pratiquement toutes les fraises, les framboises ou les myrtilles sont-elles vendues sous la marque Driscoll's, du nom du plus gros producteur en situation de quasi-monopole. Toute l'année, depuis la Californie où il est installé, Driscoll's inonde l'Amérique de fruits dénués de goût. Des fraises magnifiques, rouge écarlate dehors, entièrement blanches dedans, aussi insipides en hiver qu'en été. La Californie, sous l'impulsion d'entreprises comme celle-ci, est devenue le verger et le jardin potager de l'Amérique : 90 % des salades consommées aux États-Unis viennent de Californie. Ce n'est pas un détail. Les conséquences sont considérables. Cela veut dire que ces salades doivent pouvoir supporter jusqu'à six jours de transport en camion pour atteindre la côte Est. Leur première qualité devient donc de rester présentables au moins dix ou douze jours après la récolte. La sélection, l'amélioration des variétés, si l'on ose dire, s'est donc faite exclusivement en ce sens. Le résultat est spectaculaire, une salade magnifique mais d'un ennui total. Et il en va ainsi pour tout, tomates, melons, pommes, poires, etc.

Dans le domaine de l'élevage aussi, la concentration est totale. En Californie toujours, le Country Dairy produit 20 % du lait de l'Amérique. Autour de la petite ville de Shafter, dans un rayon de

8 kilomètres à peine, on trouve dix fermes géantes qui regroupent plus de 60000 vaches. De quoi ramener la polémique française sur la ferme des mille vaches au rang d'une brève pour la presse locale.

En 1950, cinq grandes compagnies contrôlaient 20 % du marché du bœuf. Aujourd'hui, à quatre, elles en détiennent plus de 80 %. Et, pour tous les États-Unis, il n'y a plus qu'une douzaine d'abattoirs géants. Le plus grand du monde est à Tar Heel, en Caroline du Nord. Chaque jour, plus de 32000 cochons y passent de vie à trépas. Qu'une bactérie vienne à se faufiler dans une de ces usines à viande surdimensionnées et c'est toute l'Amérique qui est malade.

Pour contrôler le système, il y a la FDA. En théorie du moins, car la réalité est plus complexe. Au pays du marché roi et de la libre entreprise, on peut toujours compter sur l'administration pour compliquer les choses. En fait, la FDA se partage la tâche avec treize autres agences gouvernementales : The Animal and Plant Health Inspection, The Grain Inspection, The Agricultural Marketing Service, The National Marine Fisheries Services, etc. Et c'est ainsi qu'une pizza surgelée fromage-tomate dépend de la FDA quand la même avec quelques tranches de salami dessus relèvera d'un service spécialisé… À elle seule, cette organisation délirante suffirait à expliquer l'état sanitaire de l'alimentation américaine. Mais les politiques n'hésitent pas à apporter leur pierre. Ces quatre dernières années, le Congrès n'a voté qu'à peine la moitié du budget prévu pour la FDA. Soit moins de 290 millions de dollars sur les 580. Ce qui fait dire au docteur David Acheson, ancien responsable du service médical de la FDA, qu'il faudra une catastrophe, « des corps dans les rues » selon sa propre expression, pour que l'Amérique se décide à avoir un système fiable de sécurité alimentaire.

Il est vrai que, pour l'instant, les corps, car il y en a, sont plutôt à l'hôpital. Outre les 3000 morts d'intoxication alimentaire chaque année, on peut attribuer à l'industrie agroalimentaire une bonne part des 23000 décès résultant d'infections résistantes aux antibiotiques. L'Amérique n'a pas le monopole de la surconsommation de ces molécules dans l'élevage, mais elle fait tout en plus grand. Ainsi, 80 % des antibiotiques vendus aux États-Unis vont à l'agriculture. Et en premier lieu aux poulets, nourriture à éviter absolument. Bon an mal an, 10000 tonnes de pénicilline et 600000 tonnes de tétracycline sont ingurgitées par les animaux d'élevage. Presque toujours à titre préventif étant donné les conditions lamentables d'hygiène et de promiscuité dans lesquelles ils sont élevés. La FDA s'est pour l'instant contentée de mises en garde et de recommandations. Au plus haut niveau de l'État, on est pourtant conscient du problème puisque le président Obama a demandé à ce que, dans les cantines gouvernementales, les fonctionnaires aient la possibilité d'acheter une viande sans antibiotiques…

L'agriculture américaine ne serait rien sans son produit phare, le maïs, OGM à plus de 80 %. Il est partout. Dans les champs tout d'abord. Trente-deux millions d'hectares. C'est plus que la totalité de la surface agricole française. Dans les supermarchés ensuite. On trouve du maïs dans… 90 % des produits. Sous toutes ses formes. Le *high fructose corn syrup*, le sirop de maïs a haute teneur en fructose, le pire sucre qui soit, a tout inondé, du pain aux conserves en passant par les boissons et les plats tout préparés. C'est l'amidon, qu'on retrouve jusque dans les produits de beauté. Contrairement à ce que pourraient laisser croire les discours sur la libre entreprise et le bonheur par la loi du marché, le maïs, comme toute l'agriculture, est largement subventionné. Environ 20 milliards de dollars par an contre un peu moins de 8 milliards d'euros pour l'Europe. Et encore, c'est compter sans les subventions déguisées que sont les programmes alimentaires fédéraux pour les pauvres et l'aide alimentaire internationale, souvent utilisée avec cynisme pour soutenir les cours.

À l'argument majeur des agriculteurs américains selon lequel ils réussissent à produire une nourriture bon marché, il faudrait opposer la vérité des coûts en y réintégrant toutes ces aides. Il faudrait aussi y ajouter celui des dégâts sur l'environnement et la santé, et l'on verrait alors que cette agro-industrie réussit l'exploit de produire les pires produits au prix le plus élevé pour la collectivité.

Le système trouve ses premières limites malgré lui. Ce n'est ni le bon sens, ni la volonté de quelques esprits éclairés qui apporteront la solution, mais une catastrophe, le changement climatique, et aux États-Unis très précisément la sécheresse qu'il induit dans tout l'Ouest et particulièrement en Californie.

La Californie produit plus d'un tiers des légumes et deux tiers des fruits consommés dans le pays. Son soleil permanent couplé à une irrigation massive a fait la fortune de ses agriculteurs. Quatre-vingt pour cent de l'eau consommée dans l'État vont à l'agriculture. Le *New York Times* s'est amusé à calculer le volume d'eau californienne que chacun, à travers son alimentation, avale chaque semaine. Trois mandarines, par exemple, demandent 160 litres d'eau, un œuf, 68 litres, une laitue, 12, etc. Le journal arrive au résultat ahurissant selon lequel l'Américain moyen consomme chaque semaine 1 135 litres d'eau californienne.

Même avant la sécheresse, ce modèle courait à sa perte. Obsédés par le profit immédiat, les agriculteurs refusaient de le voir. Ils multipliaient les puits, allant chercher toujours plus profond l'eau qui transforme le désert en jardin. Depuis des décennies, devant la baisse du niveau des nappes aquifères, les responsables du service des eaux de Californie tirent la sonnette d'alarme. Rien n'y a fait. Ces vingt dernières années par exemple, la surface plantée en amandiers, l'une des cultures les plus exigeantes en eau et l'une des plus rentables aussi, a doublé. Jusqu'à l'hiver 2014-2015 où il a bien fallu se rendre à l'évidence. Le gouverneur Jerry Brown, avec un sens consommé de la communication, se rend dans la Sierra Nevada. Pour l'accompagner, les professionnels du service des eaux et une bonne demi-douzaine d'équipes de télévision convoquées pour la circonstance. Le technicien manie une sorte de grande perche, une sonde. Elle sert à mesurer la hauteur de neige. On y voit les traits qui indiquent les niveaux, de plus en plus bas, des années passées. Il explique tout cela aux journalistes toujours très attentifs. Puis le gouverneur et lui s'avancent, font quelques dizaines de mètres. Ils s'arrêtent. Sous leurs pieds, il n'y a qu'une herbe d'hiver jaunie. C'est là, dit Brown, que nous venons chaque année mesurer la couche de neige. Silence total. La séquence fera le tour de toutes les chaînes de télévision du pays. Dans la foulée, Jerry Brown annonce la mesure à laquelle personne ne voulait croire. La restriction de l'eau. Pour les particuliers tout d'abord, puis aussi ensuite pour les agriculteurs. Rien de draconien… 20 % de moins pour les particuliers ; le processus pour l'agriculture est plus complexe. Cette loi ne suffira pas, tout le monde le sait. Si on s'en contente, il faudra attendre 2040 avant que les nappes cessent de se vider pour se remplir de nouveau. D'ici là, elles n'existeront probablement plus et d'autres mesures auront été prises. Mais enfin, le symbole est énorme. La Californie qui est la huitième économie du monde rationne l'eau alors même que dans le pays beaucoup refusent encore de croire au changement climatique.

Au-delà de l'Ouest, c'est toute l'agriculture américaine qui est à sec. Dans les grandes plaines, du Wyoming au Texas, le déficit en eau est criant. Les agriculteurs qui ont investi des dizaines de milliers de dollars dans des systèmes d'arrosage géants essaient de les amortir avant qu'il ne soit trop tard, aggravant ainsi encore le phénomène. C'est particulièrement vrai des producteurs de maïs. Au Kansas par exemple, l'université de l'État encourage à semer des cultures alternatives moins gourmandes en eau, mais sans succès. Pour l'instant, tant que la loi ne viendra pas l'interdire, les fermiers continueront de forer toujours plus profond pour atteindre, jusqu'à les vider, les dernières ressources aquifères.

Cette agriculture catastrophique se développe en circuit fermé, sans tenir compte de la réalité. Abus d'antibiotiques, épuisement des ressources en eau, abandon des rotations de cultures pour privilégier les plus rentables, épuisement des sols et recours toujours plus massifs aux intrants. Développement à tout va des OGM. L'agriculture américaine est « *Roundup ready* ». Le problème, c'est qu'après quinze ans de ce régime, les mauvaises herbes aussi résistent. Elles ont muté, comme l'avaient prédit la plupart des scientifiques indépendants. Une fois encore, au lieu de se remettre en question, l'industrie agroalimentaire choisit la fuite en avant. Après le Roundup, le napalm, l'agent orange ou plutôt son principe actif, le 2,4 D comme le désignent les scientifiques. La FDA est d'accord. Cette fois, c'est Dow Chemical qui a une longueur d'avance sur Monsanto. Dow propose depuis peu un maïs et un soja résistants au 2,4 D dont les champs américains seront bientôt arrosés.

Pour l'écrasante majorité de la population qui ignore tout de l'agriculture et du monde rural, l'industrie agroalimentaire, c'est avant tout des spots de pub à la télé.

Ils envahissent tous les programmes et se répartissent en deux catégories. Ceux qui vantent des produits alimentaires et ceux qui recommandent les médicaments que l'ingestion des premiers rend indispensables. Un programme télé américain, qu'il s'agisse de sport, d'information ou d'une série, c'est avant tout une campagne contre le diabète et le cholestérol entrelardée de pubs pour la graisse sous forme de sandwich, de pizza, de sauces…

S'y ajoute aussi de la réclame pour les produits miracles qui font maigrir ou qui atténuent les problèmes de transit intestinal…

Tout un pays se noie dans le *high fructose corn syrup*, et dans les acides gras en tous genres, saturés ou trans. Il n'y a qu'à marcher dans la rue pour le constater. Plus d'un adulte sur trois est obèse, un sur deux en 2030 selon les prévisions. Si l'on y ajoute les personnes en surpoids, on atteint d'ores et déjà 63 % de la population. Quant au diabète, c'est l'autre épidémie. Pratiquement 30 millions de diabétiques. Un Américain sur dix. À New York désormais, seize personnes en meurent chaque jour. Beaucoup plus que par homicide.

Le consommateur ingurgite presque autant de médicaments ou de compléments alimentaires que de nourriture. Il se bourre de vitamines toute l'année. Les cocktails les plus invraisemblables, de toutes les couleurs, s'épanouissent dans les libres-services. Ils sont censés pallier les carences d'une alimentation dépourvue de valeur nutritive. « Où achètes-tu tes vitamines ? » est une question de la vie courante, comme on dirait : « Chez quel boucher vas-tu ? » Les vitamines, comme la plupart des médicaments, sont en vente libre dans des grandes surfaces dont la pharmacie est l'une des multiples activités avec la vente... de nourriture, de produits de bricolage ou d'entretien, etc. Il n'y a pas si longtemps, la plupart de ces pharmacies vendaient encore des cigarettes.

Les plus hautes autorités du pays essayent de lutter. Le FBI, par exemple, vient d'instaurer pour ses agents un test de forme physique obligatoire. Pas de panique. La performance exigée est raisonnable, surtout pour des policiers d'élite. En dessous de 40 ans : 24 pompes, 35 flexions, courir 300 mètres en moins d'une minute puis 1 500 mètres en moins de dix-huit. Le test démarre doucement, personne n'est pris en traître. Le FBI a créé des programmes de préparation physique qui devraient permettre à chacun de garder son emploi.

Ce test-là, Michelle Obama l'aurait passé haut la main. Depuis 2008, elle s'exhibe sur tous les plateaux télé en jogging. « *Let's move* », « Bougeons », est son mot d'ordre. Elle court, elle saute, elle fait des pompes. Et comme elle sait d'où vient le mal, elle cultive un potager à la Maison Blanche. Bouger et manger sain. La première dame donne des conseils de nutrition. Insiste pour que soient modifiées les normes alimentaires dans les cantines scolaires. Mais elle n'a pu empêcher que la pizza soit considérée comme légume. Certains Américains prétendent néanmoins qu'elle a plus fait évoluer le pays que son mari. C'est faux, bien sûr. Les épidémies d'obésité et de diabète sont là pour le prouver. Et si ça ne suffit pas, il n'est qu'à regarder l'espérance de vie de la population. Dix-septième rang pour les hommes (75,6 ans) et seizième pour les femmes (80,7). Loin derrière la plupart des pays développés pourtant bien moins riches comme l'Italie, la France ou l'Espagne.

7

MORT DANS UN LOTISSEMENT

Il faut bien reconnaître qu'il n'a pas grand-chose pour lui, George Zimmerman. C'est un type ordinaire au physique un peu lourd. Métis d'un Allemand et d'une Péruvienne, lors des recensements il s'identifie comme hispanique. C'est un catholique aussi, enfant de chœur de 7 à 17 ans. Il s'ennuie dans sa vie d'agent d'assurances. Mais, comme beaucoup d'Américains de la classe moyenne, il a le sentiment d'avoir tout de même réussi, d'avoir quelque chose à défendre. C'est certainement pour cela qu'il joue les vigiles de lotissement. Il est même le coordinateur de la petite milice de son quartier, The Twin Lakes, à Sanford, en Floride.

C'est ainsi aux États-Unis, les voisins s'organisent. Créent ce qu'on appelle un « Neighborhood Watch ». Mettent des panneaux pour effrayer les malfrats. En général, cela ne va pas très loin. Une ronde ou deux à plusieurs si des incidents ont été signalés dans le quartier. Ces « milices » sont connues de la police, qu'elles doivent contacter en cas de problème sérieux.

Le 26 février 2012, à la nuit tombée, Zimmerman a décidé de patrouiller. Seul. Sans raison particulière. Le lotissement est calme, mais allez savoir... Et justement, son instinct ne l'a pas trompé. Voilà qu'apparaît une silhouette inquiétante, un jeune Noir, la capuche sur la tête. Ce qui se passe réellement ensuite, nous ne le saurons jamais. Zimmerman tue Trayvon Martin avec le pistolet 9 mm qui ne le quitte pas. En état de légitime défense, dira-t-il aux policiers. Trayvon Martin l'aurait agressé. Le jeune homme, un lycéen de 17 ans, n'était pas armé. Il sortait d'une supérette et se rendait chez une amie à deux pas de là. Ce n'était pas non plus un enfant de chœur : physique impressionnant, dent en or, quelques démêlés avec la police pour des bagarres...

Zimmerman est emmené au poste, soigné pour des blessures légères à la tête, et relâché au bout de cinq heures. Il a invoqué une loi, Stand Your Ground, qu'on pourrait traduire par « défendre son territoire ». Elle est propre à la Floride et à quelques autres États, du Sud notamment. Elle autorise quiconque se sent menacé à faire usage de la force, létale au besoin, qu'il soit ou pas chez lui, que son adversaire soit ou non armé. C'est en fait une sorte de permis de tuer dès qu'on a peur. Six semaines plus tard, après une intense couverture médiatique et de nombreuses manifestations, Zimmerman est finalement inculpé de meurtre. Il sera acquitté par un jury populaire. À l'issue des cinq heures qu'il a passées au commissariat, il a récupéré son arme, un Kel-Tec PF9, très populaire aux États-Unis. Il a aussi conservé le droit d'en acquérir d'autres. Depuis, Zimmerman a été impliqué dans de nombreux incidents, des violences conjugales ou des altercations avec des automobilistes. Jamais son droit à être armé n'a été révoqué…

On le sait, l'Amérique est un pays malade de ses armes. Plus de 300 millions en circulation. Onze mille morts par an en moyenne. Environ 90000 blessés. Depuis 1968, plus d'un million de personnes ont été tuées par armes à feu aux États-Unis…

Comment cela est-il possible ? Tout simplement parce que fusils et pistolets font partie du quotidien, au même titre que les Smartphone. N'importe qui peut s'en procurer et les emporter partout avec lui. C'est la loi dans l'écrasante majorité des États. L'un des conseils donnés aux étrangers de passage aux États-Unis est de ne jamais s'énerver lors d'un incident routier. Dans le monde entier, c'est un signe d'éducation, mais, aux États-Unis, cela peut vous sauver la vie. Voyez ce qui est arrivé à Alan Simons à Asheville, petite bourgade sans histoire de Caroline du Nord. Un dimanche matin de 2011, il fait du vélo avec sa famille. Son fils de 4 ans est dans le siège enfant sur le porte-bagages. Un homme dans un SUV se porte à sa hauteur et le conspue pour rouler ainsi sur une voie à grande circulation. Alan Simons s'arrête, le SUV aussi. Son conducteur, ivre de rage, sort et braque un pistolet sur le cycliste. « Fous le camp ou je te tue », lui crie-t-il avant de tirer une balle qui effleure le casque de Simons. Le tireur, un pompier de la ville, est arrêté et condamné. Cette histoire n'a jamais fait les gros titres. Pas de mort. Pas de relaxe. Elle ne met pas aux prises des fous. Il n'y a pas de biais racial, tous les protagonistes sont blancs. Non, c'est juste l'Amérique ordinaire, un flingue à la main.

Et la tendance est lourde. Chaque année, par exemple, le TSA, le service chargé de la sécurité des aéroports, trouve davantage d'armes sur les passagers candidats à l'embarquement. Non qu'ils aient l'intention de détourner un avion. Simplement, ils se présentent au contrôle comme ils sont dans la vie quotidienne, le pistolet sous la veste, à la ceinture ou dans un sac. La tendance est en constante augmentation. On en est aujourd'hui à quatre ou cinq incidents par jour. À l'université, dans les parcs, au restaurant ou dans les trains, le port d'armes gagne partout du terrain. Armes dissimulées, on dit ici *concealed weapons*. C'est la norme dans l'écrasante majorité des États. La nouvelle frontière, le nouveau combat des partisans des armes, c'est de pouvoir les porter désormais de manière apparente. Ils multiplient les campagnes, se font filmer le pistolet-mitrailleur en bandoulière dans les fast-foods, les lieux publics. Et au Texas, ils viennent de gagner le droit d'arborer leur armement en public.

Aux États-Unis, il faut avoir 21 ans et produire une pièce d'identité pour commander une bière dans un bar, mais acheter un fusil d'assaut n'est qu'une formalité. Quarante pour cent des armes vendues le sont lors de *gun shows*, des foires aux armes, ou sur internet, entre particuliers. Là, tout le monde peut vendre et acquérir n'importe quoi sans aucun contrôle. Du petit pistolet d'autodéfense jusqu'au pistolet-mitrailleur semi-automatique. Lorsque l'achat se fait chez un armurier, c'est, en théorie, plus compliqué. Une pièce d'identité est exigée, voire un *background check*. Il s'agit de vérifier le casier judiciaire de l'acheteur ainsi que son état mental. Une disposition que Barack Obama veut étendre à toutes les transactions, y compris entre particuliers. Il vient, début 2016, de prendre un décret en ce sens, mais la traduction dans les faits est loin d'être acquise. Chaque année, des milliers de criminels et de malades mentaux passent entre les mailles, très larges, du filet. En fait, l'administration n'a pas les moyens d'exercer ce contrôle. Elle est débordée. Regardez comment cela se passe en Caroline du Nord, là où le cycliste Simons a failli perdre la vie. Une simple comparaison entre la liste des détenteurs de port d'armes et celle des condamnations a mis au jour que, sur une période de cinq ans, 2400 personnes avec un passé judiciaire se sont vu attribuer des permis. Par ailleurs, dans un cas sur deux, la justice oublie de suspendre l'autorisation de port d'armes après une condamnation. C'est parfois par incompétence, mais le plus souvent par manque de moyens. Il n'est pas rare que, dans un comté, un officier de police doive gérer à lui tout seul toutes les questions de port d'armes et n'ait absolument pas la possibilité matérielle d'effectuer les vérifications les plus élémentaires. En 2011, dans le comté d'Union, en Caroline du Nord, le sergent affecté aux permis en avait délivré 1300 en douze mois…

Le type d'armes proposées à la vente pose lui aussi un problème. Dans les armureries du pays, on est loin du pistolet d'autodéfense ou du fusil de chasse. Le best-seller absolu, c'est le fusil d'assaut AR-15. C'est la version « civile », si cela a un sens, du M16 qui équipe l'armée américaine. La seule différence, c'est que l'AR-15 est semi-automatique quand le M16 est, lui, automatique. Pas de tir en rafales continues donc, en rafales de trois uniquement, mais une puissance de feu tout de même impressionnante lorsque l'on sait qu'on peut équiper cette arme de chargeurs de grande capacité, jusqu'à cent munitions. Il existe des AR-15 de toutes les couleurs, noirs, dorés, camouflés et même roses pour les dames. On peut le customiser selon ses goûts. La liste des accessoires est impressionnante, visée laser, silencieux, on peut même y adjoindre un lance-grenades... Ce petit joujou coûte de 600 à 2000 dollars selon le modèle. Il accepte tout type de munitions, des plus petites aux plus performantes. Actuellement, plus de 3,5 millions d'AR-15 sont en circulation aux États-Unis.

Mais qui peut bien avoir besoin d'un pareil engin chez soi ? Sans même parler du modèle avec lance-grenades. Quelques-uns l'utilisent pour... la chasse. Pour faire des cartons sur les chiens de prairies ou même sur les cerfs. D'autres pratiquent le tir sur cible. La plupart s'entraînent en prévision d'une hypothétique attaque des forces du mal ou de la survenue de l'apocalypse... Il arrive aussi, ô surprise, que ces AR-15 soient utilisés à mauvais escient par de mauvaises personnes. Lors de confrontations avec la police par exemple. L'AR-15 est devenu le plus redoutable des tueurs de flics. Chargé de munitions perforantes, il transperce n'importe quel gilet pare-balles. Il est aussi l'arme favorite pour les tueries de masse. L'administration, qui aime la précision, a du reste défini ce qui est une tuerie de masse : il faut que quatre personnes soient tuées ou blessées par une seule sans *cooling off*. On pourrait dire sans laisser à l'arme le temps de refroidir. Il s'en produit en moyenne un peu plus d'une par jour aux États-Unis…

C'est par exemple avec un AR-15 que James Holmes ouvre le feu dans un cinéma d'Aurora, dans la banlieue de Denver en juillet 2012 pour y tuer douze personnes. C'est avec ce même fusil d'assaut qu'Adam Lanza commet la tuerie de Sandy Hook, du nom de l'école élémentaire de Newtown dans le Connecticut, non loin de New York, en décembre 2012. Vingt élèves et six enseignants tués par un jeune homme qui s'entraînait au tir avec sa mère et a emprunté les armes de celle-ci après l'avoir assassinée pour commettre ce massacre.

L'espace d'un instant, au lendemain du carnage, on a pu croire que quelque chose allait changer au royaume des armes à feu. L'émotion, la sidération étaient totales. Les vingt enfants avaient de 6 à 7 ans. Ils ont été tués de plusieurs balles, ainsi que leurs six enseignants. Adam Lanza, qui s'est donné la mort, avait 20 ans. Durant son massacre, à plusieurs reprises, il a consciencieusement rechargé son pistolet-mitrailleur avec des magasins de trente munitions.

Le président Obama paraît à la télévision, le vice-président Joe Biden à ses côtés. Il y a l'émotion, la solidarité avec les familles des victimes et puis bien sûr la politique. Obama est talentueux, convaincant. Ce n'est plus possible, pas digne d'un pays développé, ça ne peut plus durer, s'indigne le président, dont on se demande s'il ne vient pas de découvrir que, dans son pays, n'importe qui peut se promener avec un pistolet. Le sujet n'est pourtant pas totalement nouveau pour lui. Un de ses premiers actes en ce domaine, en 2009, a été de signer la loi autorisant le port d'armes dans les parcs nationaux. Cette année-là, le Brady Center, du nom de l'ancien secrétaire à l'information de Ronald Reagan, James Brady, victime de l'attentat contre son président en 1981, le Brady Center donc, l'organisation la plus active et la plus sérieuse en faveur du contrôle des armes à feu, lui a décerné un F, sa plus mauvaise note. Les gens de la NRA, le lobby des armes, qui évidemment ne l'aiment pas, reconnaissent néanmoins qu'il a toujours tout fait pour se tenir à l'écart de la question.

Quoi qu'il en soit, Barack Obama met tout son poids dans la balance. Avec Joe Biden, ils ne ménagent ni leur sincérité ni leur talent. L'histoire le dira mais il est probable que les deux hommes, à ce moment-là, croient réellement pouvoir réformer. Obama fixe un premier objectif, modeste. Revenir à la loi de 1994, votée sous Bill Clinton, qui encadre sévèrement la vente de fusils d'assaut et interdit les chargeurs de grande capacité. Cette loi a été en vigueur pendant dix ans. Jusqu'en 2004, quand le Congrès, à majorité républicaine, ne l'a pas reconduite. C'est une première étape. Ensuite, Obama laisse entendre qu'il faudra reconsidérer le problème de manière plus globale et notamment la question si sensible du contrôle des acheteurs, leur casier judiciaire, leur état de santé mentale...

Intelligemment, la NRA, elle, fait le gros dos. Pendant toute la semaine qui suit la tuerie, elle est muette, absente du débat. Puis Wayne LaPierre, son vice-président et porte-parole, convoque une conférence de presse. Il explique en substance que la solution pour éviter ce genre de drame consisterait à placer des gardes armés dans les écoles et, sur la base du volontariat, à armer les enseignants.

Le bilan sera terrible. Dans l'année qui suit la tuerie de Sandy Hook, tous les États vont prendre de nouvelles dispositions sur les armes. Les deux tiers de ces lois vont rendre encore plus facile l'acquisition et le port d'armes. Un tiers seulement servira à accroître les mesures de contrôle. Cette différence d'attitude suit à peu près une ligne de partage républicains/démocrates. Pratiquement toutes les écoles du pays vont renforcer leur dispositif de sécurité. Un certain nombre vont suivre les conseils de Wayne LaPierre... Quant à la NRA, elle affirme avoir gagné un million de nouveaux adhérents dans l'année qui a suivi la tuerie. Le chiffre, impossible à vérifier, est peut-être exagéré, mais il est certain que beaucoup d'Américains ont pris leur carte au lendemain de Sandy Hook, comme ils l'avaient fait au lendemain de l'élection d'Obama, traumatisés à l'idée que ces événements puissent engendrer un plus grand contrôle des armes à feu et persuadés que la NRA, dont c'est le premier argument, est la mieux à même de défendre leurs droits.

Parmi les grandes dates de l'histoire que chaque citoyen devrait connaître, il y a le 22 mai 1977. Ce jour-là, à l'issue d'une nuit terrible, les pires extrémistes prirent le contrôle de la NRA pour en faire ce qu'elle est aujourd'hui, le lobby le plus puissant de Washington au service d'une seule cause : la libre possession des armes à feu.

Lorsqu'elle est créée à New York en 1871 par d'anciens officiers de la garde nationale et de l'armée, la NRA est un aimable club d'amateurs de chasse et de tir sportif. Et il en sera ainsi pendant un siècle. Personne à l'époque ne songe à en faire le lobby des armes à feu. Dans les années 1960, dans la foulée des violences politiques, des assassinats de Martin Luther King ou de Kennedy, et des émeutes raciales, l'Amérique finit par se doter d'un Gun Control Act. C'est la première loi de régulation du commerce des armes à feu aux États-Unis. Elle encadre sévèrement leur échange entre les États, elle en interdit la vente aux mineurs, aux criminels ou aux malades mentaux, enfin elle déclare illégale l'importation des surplus militaires. Nous sommes en 1968. La NRA n'aime pas cela, mais n'y voit pas non plus le début de la fin de la liberté. Dans le journal qu'elle distribue à ses adhérents, elle écrit : « C'est le genre de mesure avec laquelle les "*sportsmen*" peuvent vivre. » *Sportsmen* ! Tout est là. Mais tout le monde à la NRA n'a pas l'esprit sportif. Une bande de jeunes extrémistes rêve de s'emparer de l'organisation et de la mettre au service de leur idéologie. Parmi eux, Neal Knox. C'est un Texan, un temps journaliste, qui fonde et dirige à 30 ans le *Gun Week Magazine*. Son obsession est de supprimer tout contrôle sur les armes. Jusque et y compris sur les mitrailleuses lourdes, dont il estime qu'elles devraient être en vente libre. Il voit dans toute restriction une atteinte insupportable à l'idée de liberté. Dans son délire, Knox va très loin. Il envisage sérieusement que certains des événements dramatiques des années 1960 aient été créés intentionnellement par l'État fédéral dans le but de promouvoir sa loi sur le contrôle des armes, de, comme il l'écrit, « désarmer le peuple du monde libre ». Aujourd'hui, on crierait à la théorie du complot et Knox serait discrédité. Il réussit au contraire à fédérer autour de lui bon nombre de membres de la NRA et de professionnels du secteur des armes.

Au milieu des années 1970, la NRA s'interroge. Doit-elle rester ce qu'elle est ou prendre part à la bataille, bien modeste à l'époque, sur le contrôle des armes ? Doit-elle rester sur la côte Est ou déménager son siège dans le Colorado ? Pour la direction, le choix est clair. Et le Colorado bien attirant. Pas question de jouer les lobbyistes.

C'est là que Knox et ses amis entrent en scène. Dans la nuit du 21 au 22 mai 1977, ils réussissent à prendre le contrôle du congrès annuel de la NRA et à éliminer la vieille garde. L'épisode restera connu comme la « révolte de Cincinnati ». L'association bipartisane, démocrate et républicaine, consacrée à la chasse et au tir sportif a vécu. Oubliée la relocalisation dans le Colorado. C'est à Washington qu'il faut faire le coup de feu.

En 1986, c'est le triomphe, le premier succès de la nouvelle ligne. Le Congrès passe le Firearms Owners' Protection Act. Il détricote largement la loi de 1968. Il supprime, entre autres, la plupart des restrictions aux ventes d'armes d'un État à l'autre et, surtout, interdit à l'État fédéral de créer une base de données pour recenser les détenteurs d'armes à feu.

C'est Knox qui recrute en 1978 Wayne LaPierre, l'actuel homme fort de la NRA. C'est un lobbyiste habile, diplômé en sciences politiques de l'université de Boston. Il a beaucoup aidé au triomphe de 1986, rédigeant lui-même une partie de la loi. Il va surfer sur la grande crainte qu'inspire chez les amis des armes l'arrivée du démocrate Bill Clinton à la Maison Blanche et faire de la NRA l'implacable machine politique qu'elle est aujourd'hui.

Le siège de l'association est à Fairfax, dans la banlieue de Washington. Un immense building de verre et de béton. Au sous-sol, l'un des stands de tir les plus modernes du pays. Quinze positions luxueuses, des cibles qu'on peut éloigner jusqu'à 45 mètres. Dans les étages, une armée d'avocats, de communicants et de lobbyistes. La NRA emploie près de 800 personnes et assure bénéficier du concours de 125 000 volontaires. Elle affirme regrouper 5 millions de membres. C'est une association qui est exemptée d'impôts pour son rôle social – en France on dirait d'elle qu'elle est d'utilité publique… Sa mission, telle qu'elle la définit elle-même : « Protéger et défendre la Constitution américaine, la sécurité publique, la loi et l'ordre... » Par Constitution, la NRA entend en fait le deuxième amendement. Tout a été dit et écrit sur ce petit article. En 2008, la Cour suprême américaine, à majorité conservatrice, a statué par cinq voix contre quatre qu'il établissait un droit pour chaque individu de posséder une arme à feu. Tous les gens de bonne foi savent bien qu'à l'époque troublée à laquelle il a été rédigé, cet amendement voulait donner aux Américains la possibilité de s'armer et de s'organiser en milices pour se protéger d'éventuels ennemis ou même de l'État fédéral nouvellement créé, au cas où celui-ci deviendrait abusif. Rien à voir avec le pistolet dans la boîte à gants ou le vigile autoproclamé de lotissement.

La NRA est riche. Elle a derrière elle toute l'industrie de l'armement. Trente-deux milliards de dollars de chiffre d'affaires. Cent mille employés. Une activité en croissance continue qui se moque des crises. Avec parfois des pics : plus 23 % de vente d'armes par exemple en 2009 après l'élection d'Obama. Pour défendre sa cause, la NRA n'est pas chiche. Elle dépense sans compter. Vingt millions de dollars lors des dernières élections en 2012. Investis dans des spots publicitaires négatifs dévastateurs. Sa principale cible : Barack Obama. Elle lui consacre 9 de ses 20 millions avec toujours ce slogan simple : « *Defend Freedom, Defeat Obama* », défendez la liberté, éliminez Obama. Le reste est allé ici et là dans les États clefs pour démolir les candidats démocrates favorables au contrôle des armes. La NRA et ses lobbyistes, dont personne ne conteste les compétences, interviennent aussi de manière quasi invisible en amont. Lors des primaires républicaines pour le Congrès et le Sénat de façon à s'assurer, quitte à perdre l'élection, que c'est toujours le plus conservateur des candidats de son propre camp qui aura l'investiture.

La NRA, qui refuse que l'État fédéral dispose d'un fichier des détenteurs d'armes, tient elle très à jour la liste des partisans du contrôle. Dès que l'un d'eux sort du bois, même pour un poste subalterne, elle déclenche ses équipes et le caricature en ennemi de la liberté. Ce terrorisme efficace explique en grande partie l'incroyable passivité de la classe politique américaine. Elle sait très bien que la NRA, à elle seule, peut faire gagner mais surtout perdre une élection.

Les élections, pour ce puissant lobby, sont un peu comme Noël pour les fabricants de jouets. Surtout si les démocrates ont le vent en poupe. Sauf qu'au lieu de miser sur le plaisir et la joie, les pros de l'AR-15 parient sur la peur. L'Amérique est aujourd'hui plutôt moins violente qu'il y a vingt ans. Le taux de criminalité a diminué, mais pas pour la NRA et ses publications. Les titres sont toujours plus alarmants, les articles plus angoissants. La « ligne éditoriale » toujours la même. Le seul moyen d'arrêter un *bad guy*, c'est ainsi qu'elle s'exprime, est de mettre sur son chemin, un *good guy* l'arme au poing. Imparable. Vouloir limiter l'accès aux armes des honnêtes citoyens, c'est donc se ranger du côté du mal. Cette affirmation selon laquelle plus une population est armée, plus elle est en sécurité, ne tient évidemment pas. L'Amérique, le pays le plus armé et le plus violent du monde, en fait la démonstration chaque jour. Des chercheurs de l'université de Boston ont voulu tordre le cou une fois pour toutes à ce préjugé. Ils ont révélé que lorsque le taux de détention d'armes dans un État augmente de 1 %, le taux d'homicide augmente en proportion : plus 0,9 %.

En 2015, une autre tuerie vient traumatiser le pays. À Charleston, dans le Sud profond, un jeune Blanc massacre neuf Noirs dans une église. Une des églises les plus emblématiques du pays, qui a joué un rôle historique dans la lutte contre l'esclavage et la ségrégation. Le tueur, Dylann Roof, vient d'avoir 21 ans. Pour son anniversaire, son père lui a donné quelques centaines de dollars. Il a tout de suite couru chez l'armurier acheter un pistolet. Il est pourtant inquiétant Dylann Roof. Il aime poser avec des symboles racistes, mais qui irait lui dénier le droit de s'armer pour si peu dans un pays où le Ku Klux Klan est légal… Il achète donc son arme et s'en va perpétrer son carnage. Certes, ce drame relève autant du racisme que des armes. Ce n'est pas Sandy Hook, mais l'émotion est comparable. Revoilà donc Barack Obama, toujours irréprochable dans les grands moments de drame national. Un discours de plus, sincère, émouvant. Il remet la question des armes sur la table, sans y croire, par principe. Si Sandy Hook n'a rien changé, qu'est-ce qui pourrait faire bouger les choses ? dit-il en substance. Et il a raison. La polémique ne prend pas. Elle s'oriente plutôt vers le drapeau confédéré. Le drapeau des États du Sud durant la guerre de Sécession, symbole de l'esclavage. Le tueur aimait poser avec lui. On découvre à cette occasion qu'il continue de flotter sur bon nombre de bâtiments officiels dans bon nombre d'États. C'est insupportable, il faut en finir avec ce drapeau de toute urgence. Un caricaturiste du *Washington Post* résume bien la situation. On y voit Dylann Roof partir à l'assaut, le drapeau confédéré dans la main gauche, le pistolet dans la droite. « L'un de ces deux objets nous pose un problème », dit la légende avec infiniment d'ironie…

L'Amérique a évolué sur la question des armes. En mal. Le soutien à la NRA est toujours plus grand, 68 % de la population selon les derniers sondages. Les partisans du contrôle sont en constant déclin depuis vingt ans. La législation n'a jamais été autant permissive. La loi Clinton n'a pas été reconduite en 2004, ni en 2012 au lendemain de Sandy Hook. Depuis, les armes ont gagné du terrain à l'école, dans les parcs, les trains, les restaurants, et demain peut-être dans les avions… 98 % des Américains vivent à moins de 15 kilomètres d'une armurerie…

8

LE SYNDROME FERGUSON

QUELLE JOURNÉE QUE CE 4 novembre 2008. Quel avènement. Un président noir ! Un président noir au pays du Ku Klux Klan, de l'esclavage et de la ségrégation. Un président noir au pays du lynchage. C'est historique. Les médias du monde entier font assaut de superlatifs, se répètent à l'envi. Puisqu'il est noir, c'est formidable. C'est le premier jour de l'Amérique postraciale. Quelle leçon. Une fois de plus, les États-Unis éclairent le monde. Il est même des imbéciles en France pour s'insurger : « Ah, ce n'est pas chez nous qu'on élirait un Noir… » Comme si soudain avoir un président de couleur annonçait progrès et modernité.

Sur le Mall, la grande esplanade du centre de Washington, la foule exulte. Elle est surtout noire, elle aussi, mais seuls quelques esprits chagrins le remarquent. Puisqu'on vous dit que tout est réglé.

Certes, il y a encore des racistes aux États-Unis. On murmure même que le risque d'attentat est réel. Après tout, on a bien tiré sur des présidents blancs. Mais ce ne sont que quelques extrémistes. Ce petit frisson de peur collective est délicieux. Il ajoute à la grandeur du moment. C'est bien l'histoire qui s'écrit puisqu'on veut l'abattre… Il n'y aura jamais la moindre tentative d'attentat contre Barack Obama.

Pendant six années, l'Amérique va vivre dans le déni de réalité. Pour ajouter à l'illusion, Obama va faire quelques gestes symboliques. Il nomme le premier ministre noir de la Justice, son vieil ami Eric Holder. Il envoie à l'ONU, pour représenter les États-Unis, Susan Rice, noire elle aussi. On s'extasie. Avant eux, il y avait bien eu par exemple Colin Powell, chef d'état-major interarmées, ou Condoleezza Rice, ministre des Affaires étrangères. Mais c'est comme s'ils n'avaient pas existé. Comment peut-on être Noir et républicain…

Pendant six ans, de 2008 à 2014, la question raciale va s'effacer des radars au profit d'autres problèmes. Les excès de Wall Street, les inégalités, l'accès à la santé, le mariage gay, le changement climatique…

Le réveil sera terrible. Le 9 août 2014 à Ferguson, dans le Missouri, Michael Brown, jeune Noir de 18 ans, est abattu par l'officier de police blanc Darren Wilson. Brown, certes, n'est pas un enfant de chœur et il s'est montré agressif, mais il n'est pas armé. Wilson fait feu à douze reprises. Il bénéficiera d'un non-lieu. La ville s'embrase. Plus que des marches ou des manifestations, des émeutes. Du moins c'est ainsi que l'Amérique le perçoit. Le pays reste traumatisé par les grandes émeutes des années 1960 et, plus près de nous, par celles de Los Angeles. En 1992, dans la grande ville californienne, six jours de violence et de pillage font 53 morts et plus de 2000 blessés. Il y aura 11000 arrestations. C'est l'acquittement scandaleux des policiers blancs qui ont passé à tabac le Noir Rodney King qui a tout déclenché. Pour venir à bout des émeutiers, il a fallu faire appel à l'armée. La garde nationale bien sûr mais, comme ce n'est pas suffisant, la 7e division d'infanterie et la 1re division de marines envoient des renforts.

Et si l'histoire se répétait ? Ce n'est pas ce qui se joue à Ferguson, loin de là. Quelques centaines de manifestants tout au plus. Presque autant de policiers. Aucun tué mais deux ou trois magasins incendiés ainsi que quelques voitures. Il n'en faut pas plus pour réveiller la grande peur. D'autant que Ferguson inaugure une série ininterrompue de bavures policières. Le scénario est toujours le même : policier blanc, victime noire. Chacun de ces assassinats est hallucinant…

À Brooklyn, c'est un vendeur à la sauvette, obèse, père de famille, connu de tout le quartier, qui est étouffé pendant son arrestation. À Cleveland, c'est un gosse qui joue avec un pistolet factice qui est abattu à bout portant. À Baltimore, un jeune qui court à la vue des policiers décède d'une fracture des cervicales alors qu'il est plaqué au sol. À Cleveland encore, un couple non armé qui ne s'arrête pas à un contrôle routier décède dans sa voiture criblée de… 138 balles, dont les 15 dernières tirées à travers le pare-brise par un policier juché sur le capot. On pourrait encore allonger la liste, et à chaque fois ou presque la justice estime qu'il n'y a pas matière à poursuivre...

Chaque soir de bavure, l'Amérique retient son souffle. Que va-t-il se passer, comment vont-ils réagir ? Les maires instaurent le couvre-feu, les gouverneurs décrètent l'état d'urgence pour pouvoir mobiliser la garde nationale. À Baltimore, quelques magasins brûlent, mais pour l'essentiel l'heure n'est plus, ou pas encore, à la violence.

Y a-t-il soudain une épidémie de bavures ou bien y prête-t-on davantage attention ? L'Amérique, bien obligée, s'interroge. Elle redécouvre ses Noirs. Et, par la même occasion, l'étendue des dégâts. Ce sont toujours les descendants d'esclaves qui fournissent les gros bataillons des pauvres, des illettrés, des prisonniers et des malades mentaux. Leur revenu moyen est encore le dernier, très loin derrière celui des Asiatiques, des Blancs et même des Latinos. Rien n'a changé ou si peu, mais, aveuglé par la présence d'Obama à la Maison Blanche, personne n'a voulu le voir. Les signaux d'alerte pourtant ne manquent pas.

À partir du recensement de 2010, le *New York Times* publie début 2015 une enquête sidérante. Elle s'intitule « 1,5 Million Missing Black Men », il manque 1,5 million d'hommes noirs. On y découvre que pour 100 femmes noires non emprisonnées, il n'y a que 83 hommes noirs en liberté. Dans la population blanche, la proportion est de 99 hommes pour 100 femmes. En extrapolant ce chiffre, le journal en conclut qu'il « manque », chaque jour dans la vie quotidienne, 1,5 million d'hommes noirs. Où sont-ils ? En prison, ou morts prématurément, par homicide la plupart du temps. Les conséquences sont énormes. Un tissu social déstructuré. Des familles bancales. Des femmes réduites à s'acoquiner avec le premier venu. La loi du marché… Dans les villes où bavures et émeutes se sont succédé, c'est particulièrement frappant. À Ferguson justement, 60 hommes pour 100 femmes. À Charleston, autre théâtre d'affrontements, 75 hommes pour 100 femmes. Dans la tranche d'âge 25-54 ans, le *New York Times* affirme qu'il manque un homme sur six. C'est pratiquement le taux de pertes d'un conflit. C'est comme si les hommes noirs américains livraient une guerre permanente dans leur propre pays. Chez les hommes « en âge de combattre », un sur douze est prisonnier, un sur douze est mort.

Cette « guerre » que les États-Unis mènent contre leur propre population n'a pu passer inaperçue que parce qu'elle est à la fois permanente et diffuse. Les militaires diraient qu'il s'agit d'un conflit de faible intensité. Les stratèges parleraient de « *containment* », contenir l'ennemi, le maintenir à distance, dans sa peur et ses ghettos, l'empêcher de nuire.

En 2015, Baltimore frôle l'émeute après l'assassinat d'un jeune Noir par la police. À cette occasion, l'Amérique réalise qu'il ne s'agit pas d'un fait divers, d'une confrontation qui, malheureusement, pour une fois, aurait mal tourné. Non, c'est bien un système qui est à l'œuvre. Les médias enquêtent sur la police de Baltimore. Ils découvrent que, de 2011 à 2014, la ville a été poursuivie 317 fois pour violences, arrestations et emprisonnements injustifiés. Sur ces 317 plaintes, une bonne centaine ont abouti à la condamnation de la municipalité, qui a dû ainsi en quatre ans s'acquitter de plus de 5,7 millions de dollars de dommages et intérêts à ses propres concitoyens. N'importe qui, devant ces chiffres, aurait réformé la police. L'opposition municipale aurait dû s'insurger. C'est non seulement une honte, une faillite morale mais, s'il fallait n'être que pragmatique, ce qui aux États-Unis est souvent suffisant, une très mauvaise allocation de l'argent public. Il ne s'est rien passé. Comme si tout le monde était d'accord pour considérer qu'il s'agit là du prix de la guerre, de la tranquillité.

Ce que les médias américains découvrent à Baltimore est loin d'être un cas isolé. Chicago, par exemple, a payé 85 millions de dollars aux victimes de sa police depuis 1993. Et les exactions continuent. Ainsi, au printemps 2015, la ville vote à l'unanimité, et avant même qu'une plainte ait été déposée, 5 millions de dollars de compensation pour la famille de Laquan McDonald, un jeune Noir de 17 ans non armé abattu de 16 balles par un policier blanc. La culture de la violence policière à Chicago est très profondément enracinée. Elle remonte aux « exploits » de Jon Burge, chef de sa police dans les années 1970 et 1980. Il a finalement été licencié en 1993 avec plusieurs de ses officiers. Burge avait mis en place un véritable système parallèle avec recours systématique à la torture. Rahm

Emanuel, le maire actuel de Chicago, a présenté des excuses formelles à la population du South Side, le ghetto noir de Chicago, et débloqué des fonds pour ériger un mémorial à la mémoire des victimes de Burge. Cas unique d'une ville qui rend hommage à ses propres victimes. Mais les vieilles habitudes ont la peau dure. Récemment, une photo a fait le tour du web. On y voit deux officiers de Chicago accroupis entourer un prisonnier noir allongé au sol. Les deux policiers, hilares, ont leur fusil de chasse à la main et, sur la tête du Noir, ils ont attaché un massacre de cerf. Depuis les deux hommes ont été licenciés...

Mais les guerres ne se jouent pas que sur les champs de bataille. La confrontation est même toujours un pis-aller pour celui qui veut dominer. Il y a tant d'autres moyens plus subtils et moins dangereux. C'est ainsi que 90 % des élus, locaux et fédéraux, sont blancs ; 65 % des élus sont même des hommes blancs alors qu'ils ne représentent que 31 % de la population. Il est touchant de voir que ces élus, qui ont voté la discrimination positive à l'université ou dans la fonction publique, se sont bien gardés de se l'appliquer à eux-mêmes. Et encore, ces chiffres sont-ils trompeurs. Les élus locaux sont évidemment plus facilement représentatifs de leur communauté. Au niveau fédéral ou dans les parlements de chaque État, c'est encore pire. Barack Obama ne peut l'ignorer, lui qui était le seul sénateur noir, et le cinquième de toute l'histoire, lorsqu'il a démissionné pour devenir président.

C'est la même chose dans la police. Un chiffre, un seul. Les Noirs ne représentent que 4,5 % des agents du FBI. À peine plus que les Asiatiques, 4 %, et beaucoup moins que les Hispaniques, 7 %.

Cette guerre contre les Noirs qui n'ose pas dire son nom a aussi ses collabos.

En 2013, la banque Merrill Lynch se retrouve condamnée à une amende record : 160 millions de dollars. Elle est convaincue d'avoir entravé la carrière de centaines de ses employés noirs. Merrill Lynch, c'est la banque d'affaires de Bank of America. Depuis 2005, 1 200 de ses salariés noirs la poursuivent. Ils ont réussi à faire ce que l'on appelle ici une « *class action* », une plainte collective. Ils lui reprochent d'avoir mené « des pratiques systématiques de discrimination raciale et de représailles, de même que des politiques de rémunération et d'accès aux promotions inégales ». Au moment où la plainte est déposée, le patron de la banque s'appelle Stanley O'Neal. Il est noir. Il ne nie pas vraiment les faits. Il les explique. Beaucoup de clients de la banque, des Blancs dans leur écrasante majorité, ne souhaitent pas confier la gestion de leur argent à des Noirs... Comment ne pas leur donner satisfaction ? Avoir un Noir à la tête de l'entreprise ou de l'État ne règle rien. Au contraire.

Sur cette question des races, et particulièrement du sort des Noirs, l'Amérique s'est toujours raconté des histoires.

En 2014 sort un film que le monde entier va acclamer et récompenser : *12 Years a Slave*. C'est, en quelques mots, l'histoire d'un Noir, Northup, qui vit libre au milieu du XIXe siècle dans l'État de New York. Il sera enlevé pour être vendu comme esclave dans les

États du Sud. Passons sur la naïveté hollywoodienne qui décrit un Northup bourgeois parfaitement intégré dans une Amérique tolérante et humaniste. Celle qui sera du « bon côté » lors de la guerre civile. Ce que le film décrit est un phénomène documenté qui permit de régénérer les populations d'esclaves au moment où la traite était interdite, mais pas la servitude. On pourrait supposer en tout cas cet épisode de leur histoire connu des Américains. Quelle surprise de découvrir qu'il n'en est rien. À la sortie de ce blockbuster, tout le monde s'extasie. Pas tant devant les qualités artistiques de l'œuvre que devant ses révélations historiques. Regardez ce qu'écrit Richard Cohen par exemple. Ce n'est pas n'importe qui, il est prix Pulitzer, le Goncourt du journalisme, et c'est à 70 ans l'un des éditorialistes les plus respectés du *Washington Post.* « Je réalise parfois, écrit-il, qu'il m'a fallu des années pour désapprendre ce qu'on m'avait enseigné. Par exemple que ce ne sont pas les Indiens qui ont attaqué Custer à Little Big Horn, mais le contraire. Eh bien le film de Steve McQueen est une de ces grandes expériences de désapprentissage... Depuis l'école, j'ai une vision floue de l'esclavage. Bien sûr, j'y ai appris que l'esclavage était mauvais, diabolique, mais aussi que beaucoup de Noirs en quelque sorte y trouvaient leur compte. Que les propriétaires d'esclaves étaient pour la plupart des types bien, des Américains comme vous et moi après tout [*fellow Americans*]. » Si Richard Cohen ne sait pas, alors qui peut savoir ?

Le roman national américain veut que les États du Nord, dans le bon et le vrai, aient, à l'issue d'une guerre héroïque, terrassé le mal, l'esclavage et les États du Sud. Nous sommes au pays des idées simples, de la vision manichéenne de l'histoire du monde et des hommes. « *Good guys* » contre « *bad guys* », comme on le lit et l'entend encore aujourd'hui à tout propos, dans les faits divers comme dans la géopolitique proche-orientale. L'ignorance de l'histoire est profonde. Lincoln lui-même a pourtant bien expliqué que l'esclavage n'était pas le « péché du Sud mais celui de l'Amérique tout entière », mais qui le sait et surtout qui l'enseigne aujourd'hui aux États-Unis ?

D'une manière générale, l'Amérique en est au tout début du travail historique minimal sur son passé esclavagiste. Elle a fait les choses à l'envers, inventant par exemple la discrimination positive pour « racheter » une faute dont bien peu d'Américains connaissent la portée réelle. À Washington, par exemple, le National Museum of African American History and Culture, le musée noir, sort à peine de terre. Il aura été devancé par celui des Indiens, mais aussi par le musée de l'espionnage ou du journalisme. Les cases d'esclaves que l'on visite ici ou là dans des demeures historiques sont d'aimables reconstitutions éloignées de la réalité.

La recherche scientifique sur l'esclavage est balbutiante. Elle est encore souvent le fait d'associations. Sait-on par exemple combien de Noirs ont été lynchés dans les États du Sud après la guerre civile ? Il n'y a pas de chiffres officiels ni d'étude exhaustive. Une association, Equal Justice Initiative, a pu répertorier 3 959 cas indiscutables dans douze

États entre 1877 et 1950. Soit environ un par semaine. Pas un seul Blanc, durant toute cette période, n'a été condamné pour lynchage. Au contraire. Il s'agissait en quelque sorte de kermesses populaires. On s'y rendait en famille, hommes, femmes, enfants. Des marchands ambulants proposaient de la nourriture et des boissons. Des photographes en faisaient des cartes postales qu'on envoyait aux amis…

Entre 1910 et 1970, plus de 6 millions de Noirs ont fui les États du Sud pour se réfugier dans les ghettos du Nord. Aujourd'hui encore, le Sud est fondamentalement plus raciste que le Nord. À Austin par exemple, pourtant une des rares villes démocrates du Texas, on a vu récemment fleurir sur des commerces des autocollants « réservé aux Blancs ». Ce n'était pas le fait des commerçants bien sûr, mais de groupuscules racistes. Des groupuscules qu'on dit en déclin, il n'y en aurait plus qu'environ… 800, mais dont l'idéologie est désormais véhiculée sur internet par des sites comme Stormfront, qui voient leur fréquentation exploser d'année en année.

La violence a perduré après la fin des lynchages. Jusqu'à aujourd'hui. La police a pris le relais. Dans chaque famille noire des États-Unis se pratique un étrange rituel, on appelle cela « *the talk* », la discussion. Lorsqu'un garçon noir arrive à l'adolescence, ses parents le prennent à part. Ils lui expliquent qu'il devient un homme noir et donc une proie pour la police. Ils lui donnent les conseils de survie élémentaires. Ne jamais répondre, ne jamais se rebeller. Même devant l'injustice la plus flagrante. Ne pas faire de geste qui prête à confusion. Ne jamais fournir au flic le prétexte pour tirer. Et n'allez pas croire que ce *talk* se déroule exclusivement dans les ghettos. Eric Holder, ministre de la Justice d'Obama, a reconnu publiquement qu'il avait lui aussi eu cette « conversation » avec ses fils.

Si le roman national édulcore le sort fait aux Noirs, il est tout simplement amnésique en ce qui concerne les Mexicains. Pas de musée, pas de culpabilité, pas de politiquement correct pour les Latinos.

Les premières études historiques sont en train de mettre au jour le sort qui a été le leur jusqu'au milieu du xxe siècle. Ainsi deux universitaires (Carrigan et Webb, *Forgotten Dead, Mob Violence against Mexicans in the United States, 1848-1928*) affirment que les lynchages de Mexicains se comptent eux aussi par milliers à cette époque. Principalement dans les États du Sud, mais pas seulement. Très loin de la frontière aussi, jusque dans le Wyoming ou le Nebraska. Comme pour les Noirs, les lynchages ne donnent lieu à aucune poursuite, à aucune arrestation. Ils sont en revanche moins festifs, n'ont pas ce côté kermesse populaire, peut-être parce que les autorités locales y prêtent souvent leur concours. Ainsi, en 1918, quinze Mexicains sont-ils lynchés par des civils aidés d'une escouade de rangers dans le village de Porvenir. L'épisode est resté célèbre, au Mexique en tout cas, sous le nom de « Hora de Sangre », l'heure du sang. Cette fois, l'engagement considéré comme excessif des rangers amena une réforme timide de cette unité.

Aujourd'hui, les Latinos, et pas seulement les Mexicains, forment la deuxième population victime des violences policières. Pour tous les autres indicateurs, accès à la santé, éducation, revenu... ils sont également juste au-dessus des Noirs, très loin évidemment des Blancs. Encore ne s'agit-il là que des Latinos « officiels », pas des clandestins. On estime qu'il y a entre 11 et 12 millions de Latinos clandestins aujourd'hui aux États-Unis. Ce sont les nouveaux esclaves. Ce sont eux qui font marcher l'agriculture dans les États du Sud. Ce sont eux aussi qui tondent les pelouses de Washington, y compris celles des lobbyistes ou des *congressmen* chargés de statuer sur leur sort...

Les Latinos, comme les Noirs, ont fait Obama. Ils l'ont élu et réélu : 93 % du vote noir, 75 % du vote hispanique. Minoritaire chez les Blancs, Obama est le président des minorités... Pour gagner leurs suffrages, il leur avait beaucoup promis ; il les a beaucoup déçus. L'opinion ne s'y trompe pas. Les sondages sont accablants. Aux instituts qui leur demandent comment ont évolué les relations entre les Blancs et les Noirs, les sondés répondent à une majorité écrasante qu'elles n'ont pas progressé ou même qu'elles se sont détériorées. Et, d'une manière plus générale, ce sont les relations entre les races qui se sont dégradées, pas seulement les rapports Noir/Blanc. Elles sont perçues comme mauvaises par deux tiers des Américains au printemps 2015, dans une étude pour le *New York Times.*

Et pourtant ces communautés, ces minorités, sont en train de devenir la majorité. Le Blanc, le Caucasien comme on dit aux États-Unis, sera minoritaire dans son propre pays avant les années 2050. Pour la première fois, il est né en Amérique en 2013 plus de bébés non blancs que de bébés blancs… Il serait temps, et même indispensable, que l'Amérique se réconcilie avec elle-même, sauf à risquer de voir le pays exploser ou s'enfoncer toujours plus dans la violence policière et le contrôle à outrance de ses populations.

Le Parti démocrate semble l'avoir compris. Le Parti républicain, sauf sursaut de dernière minute, se raidit dans une défense de l'homme blanc qui, à terme, le condamne. Son avatar, le Tea Party, sorte de minorité « zemmourisée » avant l'heure, l'entraîne dans une surenchère réactionnaire vouée à l'échec. L'Amérique blanche se crispe. Elle sent que la situation va lui échapper. Et de cette crispation naît une tension intercommunautaire dont on peut se demander si elle ne remet pas en cause, non seulement le mythe, mais aussi le modèle américain.

9

LA PLUS GRANDE PRISON DU MONDE

DANS LES COULOIRS GRIS, ce ne sont que déambulateurs, béquilles, chaises roulantes. Du plafond pendent des signes directionnels : « chirurgie », « soins ambulatoires ». Les portes des chambres, pardon, des cellules, restent ouvertes. Mais pas question bien sûr de sortir du bâtiment. C'est l'un des centres gériatriques du système pénitentiaire américain. Ici, les patients sont tous prisonniers. Jusqu'à la mort. Et leur vieillesse, leur déchéance physique se déroulent derrière les barreaux.

Le système judiciaire et pénitentiaire américain, devenu fou au début des années 1980, est désormais submergé par les vieillards. La population des 55 ans et plus est la population carcérale qui progresse le plus vite. Elle représentait 6,4 % des détenus en 2000. Près de 11 % quinze ans plus tard.

Il a fallu tout repenser. La prison n'est pas faite pour les infirmes et les grabataires. Le système pénitentiaire a dû embaucher des aides-soignants, des infirmiers, des médecins. Aménager des passages pour les fauteuils roulants… L'administration a même créé des centres de dialyse pénitentiaires, comme celui de Devens, près de Boston, où 115 détenus reçoivent leurs soins sans quitter leur prison. Les prisonniers les plus jeunes, les moins dangereux, ont été transformés en garçons de salle. Ils aident les plus âgés à se lever, à s'habiller. Situation touchante jusqu'à l'absurde.

L'administration voit avec terreur la situation empirer. Un détenu ordinaire lui revient en moyenne à 27 000 dollars par an. Un détenu de plus de 55 ans coûte 59 000 dollars chaque année au contribuable américain.

C'est la version carcérale de notre trou de la Sécu, ou de la faillite du système des retraites. Tout le monde en convient, les vieux prisonniers sont traités correctement, bien soignés. Ils meurent après trente ou quarante ans de prison, parfois davantage, en ayant reçu tous les soins que nécessite leur état. C'est le pénitencier des cancéreux. Des gens qui ne représentent plus aucun danger pour la société, depuis des dizaines d'années parfois, meurent d'un cancer au stade terminal sans avoir pu retrouver leurs proches, retourner chez eux.

Au début des années 1980, l'Amérique est un pays relativement violent mais au taux de criminalité tout aussi stable. Elle se met pourtant à inventer, notamment sous l'impulsion de républicains comme Ronald Reagan en Californie puis à la Maison Blanche ou Rudy Giuliani à New York, un système répressif à l'efficacité discutable mais aux conséquences catastrophiques.

Plusieurs concepts, si l'on ose dire, cumulent leurs effets.

Le premier est la guerre à la drogue. Alors même que le crack n'a pas encore été inventé et que les crimes et délits liés au trafic de stupéfiants n'augmentent pas, Reagan déclare la guerre à la drogue. La possession de stupéfiants, quelle que soit leur nature ou leur quantité, est criminalisée. Cette guerre va remplir les prisons comme rien avant elle. C'est la population noire qui va en fournir les plus gros bataillons, à telle enseigne que beaucoup se sont demandé si l'objectif réel n'était pas d'établir un nouveau système de pression et de contrôle des Afro-Américains.

Cette guerre est rendue particulièrement impitoyable par l'imposition de peines incompressibles et par la règle des trois condamnations, qui veut que la troisième sentence, quelle que soit sa nature et quelle que soit la nature des deux précédentes, soit automatiquement la perpétuité. Les législateurs pariaient sur l'effet dissuasif de cette sévérité inouïe ; ils n'ont fait que submerger les prisons.

À l'autre bout du pays, à New York, Rudy Giuliani se rend célèbre avec sa théorie de la « vitre brisée », que l'on résume par la tolérance zéro.

Ce tournant ultrarépressif, que le pays accepte et applaudit au moins dans un premier temps, fera de l'Amérique la plus grande prison du monde. Un adulte sur cent y est incarcéré. Un prisonnier sur quatre dans le monde est américain. Qui dit mieux ? Personne.

Ni la Chine, ni la Corée du Nord ni même l'Iran. Les conséquences en sont catastrophiques. Des prisons surpeuplées transformées en école du crime avec un taux de récidive lui aussi sans égal : 43 %.

En 2014, la population carcérale a pour la première fois légèrement diminué. Sans que l'on sache à quoi l'attribuer. Une prise de conscience tardive, le coût financier insupportable ou bien, comme en Californie, tout simplement l'injonction par l'État fédéral de libérer 30 000 détenus pour diminuer le taux de surpopulation carcérale devenu inhumain et absurde puisqu'il n'y a plus de place pour les nouveaux délinquants. Il est trop tôt également pour dire si ce léger frémissement à la baisse est précurseur d'une tendance longue ou si c'est juste un « accident » de parcours.

Les tenants du « tout carcéral », en effet, ne manquent pas. Chez les politiques, mais pas seulement. Avec le temps et la surpopulation, les États ont eu de plus en plus recours au privé. Quelques grands groupes se partagent le marché. Ils reçoivent pour chaque prisonnier un *per diem* qui peut aller de 80 à 200 dollars. Le taux de rentabilité est d'environ 5 %. Pas si mal. Bien sûr, l'activité est totalement dépendante de la politique pénale du pays et de chaque État. Que l'Amérique se calme et c'est la ruine. Bien qu'ils s'en défendent, les grands groupes du secteur pénitentiaire ont donc intérêt à ce que la politique répressive reste la même et, pour cela, ils font un lobbying actif à Washington et auprès des gouverneurs, notamment ceux des États les plus rentables, comme l'Arizona ou la Louisiane.

Ils peuvent compter aussi sur la politique de santé publique du pays.

Ici, la prison sert à tout. Elle sert par exemple à pallier le manque d'hôpitaux psychiatriques. L'Amérique est un pays où les malades mentaux sont dans la rue et donc finissent, tôt ou tard, derrière les barreaux.

En 1955, on comptait un lit en hôpital psychiatrique pour 300 habitants. Désormais, c'est un pour plus de 7000 ! Et la tendance se prolonge. Plus de 1000 lits sont supprimés chaque année. Le nombre de malades, lui, ne fait qu'augmenter. On estime qu'aujourd'hui aux États-Unis, un tiers seulement des adultes souffrant de troubles psychiatriques sont soignés.

Les fous envahissent donc les pénitenciers et les prisons fédérales. Deux tiers des femmes et la moitié des hommes incarcérés souffrent, à un degré ou à un autre, de désordres mentaux. Évidemment, ils ne reçoivent pas plus de soins en détention qu'ils n'en recevaient à l'extérieur. Les États ne savent plus quoi en faire. Ils se les « repassent ». Littéralement. Ainsi, en 2013, la Californie a porté plainte contre le Nevada. Elle accuse son voisin d'avoir mis depuis 2008 des centaines de malades mentaux en fin de peine dans des bus avec un aller simple pour la Californie. L'instruction a fait apparaître près de 1500 cas litigieux ces cinq dernières années.

Les détenus les plus sévèrement atteints, ceux dont les crises comportementales sont jugées insupportables par le personnel pénitentiaire, sont régulièrement battus, attachés pendant des heures sur leur lit, calmés à coups de bombe chimique ou de Taser. Human Rights Watch, qui s'en émeut, rapporte plusieurs cas où ces traitements ont conduit à la mort. Il est difficile de faire des statistiques. L'administration qualifie elle-même les causes du décès et n'est pas toujours tenue de rapporter les cas de recours à la force. Néanmoins, des histoires comme celle d'Anthony McManus sont légion.

McManus est arrêté pour exhibitionnisme dans le Michigan et incarcéré à la prison de haute sécurité de Baraga. Il est schizophrène et bipolaire et refuse souvent de s'alimenter ou bien se couvre de nourriture. Il n'y a pas de département de psychiatrie à Baraga. De temps en temps, néanmoins, un psychologue passe le voir, ou plutôt lui parler, à travers la porte de sa cellule. Comme son comportement se dégrade – et comment pourrait-il en être autrement – l'administration restreint la nourriture qui lui est distribuée et coupe l'eau dans sa cellule. Les gardes, qui ne sont pas à une absurdité près, le fouillent régulièrement pour s'assurer qu'il n'est pas armé. Quand il refuse de se déshabiller, il est assommé à coups de *pepper spray*, ces aérosols chimiques utilisés pour disperser les manifestants ou éloigner les ours. Ils le feront encore trois jours avant sa mort. McManus pèse alors 35 kilos…

Les fous meurent de la prison. Ils meurent aussi parfois d'une injection létale. Théoriquement, depuis 2002, on ne peut plus exécuter un malade mental. On peut toujours le condamner à mort, mais pas l'exécuter. Ainsi en a décidé la Cour suprême.

Mais encore faut-il que le malade mental ait été identifié comme tel. Or cela, c'est à la charge des États. À eux de définir les modalités du diagnostic et même tout simplement s'il est utile d'en établir un. Il n'est pas rare que la justice américaine s'épargne cette charge.

Lorsque vient l'heure de l'exécution, pour les fous comme pour les autres, rien n'est garanti. Depuis quelques années maintenant, l'Union européenne, comme la plupart des grands groupes pharmaceutiques, refuse d'exporter aux États-Unis les cocktails mortels utilisés jusqu'alors. Dans plusieurs États – l'Oklahoma, l'Ohio, l'Arizona –, les bourreaux ont bricolé avec un produit, le midazolam, aux effets catastrophiques. Les condamnés ont agonisé dans des souffrances atroces pendant une durée interminable, jusqu'à 117 minutes – près de deux heures – pour l'un d'eux. Devant ce fiasco, on est revenu aux bonnes vieilles méthodes. Le peloton d'exécution dans l'Utah, la chaise électrique dans le Tennessee, la chambre à gaz, très tendance en Oklahoma et dans le Missouri…

Pour remplir toutes ces prisons, pour arriver à plus de 2,2 millions de détenus, il faut une machine policière très efficace. L'Amérique n'a pas à se plaindre.

Il y a tellement de forces de police différentes qu'on n'arrive pas à savoir combien de policiers au total quadrillent le pays. Police de la municipalité, du comté, de l'État, police fédérale. Et police spécialisée aussi. Police des autoroutes, des campus, des frontières, du fisc, des transports, des parcs, police criminelle, police des tabacs et alcool, etc.

Quelle que soit leur unité, les policiers semblent avoir tous les droits. Ils contrôlent et arrêtent, pour un oui ou pour un non, surtout, il est vrai, les minorités. La seule attitude à avoir, c'est de lever les mains et de ne pas discuter. Le moindre geste, la moindre parole peuvent être interprétés comme une rébellion, et alors tout est possible. On ne compte plus le nombre de gens qui ont été victimes d'un tir de Taser ou même d'arme à feu, simplement parce qu'ils n'avaient pas les mains bien en vue sur le volant lors d'un contrôle routier. Il ne faut rien dire, rien faire, obtempérer et se laisser menotter. C'est une pratique systématique. Avant de faire quoi que ce soit d'autre, et surtout de réfléchir, le policier américain menotte. On en a même vu menotter le cadavre de l'homme qu'ils venaient d'abattre…

L'Amérique ressemble par bien des côtés à un État policier. Hurlement des sirènes, voitures de patrouille omniprésentes, crainte du flic. Il faut dire, quelle allure ! Le policier américain est souvent énorme, toujours suréquipé et surarmé. Le sommet dans ce genre, ce sont les SWAT Teams.

« SWAT » pour Special Weapons And Tactics. Et c'est vrai qu'ils sont spéciaux, ces robocops qu'on dirait sortis d'un studio d'Hollywood, ces guerriers du futur qui n'ont plus grand-chose d'humain, noyés sous un équipement aussi impressionnant que dangereux.

Monroe Isadore a fait leur connaissance un jour de septembre 2013. De l'avis de tous ses voisins, dans sa banlieue de Little Rock, Arkansas, c'est un vieillard sympathique qui va à la messe chaque dimanche et entretient encore lui-même son petit jardin. Monroe fait l'admiration de tous. Il faut dire qu'il a… 107 ans.

Ce samedi-là, sa petite-fille, Laurie Barlow, 48 ans, vient le chercher car il doit déménager. Monroe, que l'idée amusait encore quelques jours auparavant, ne veut plus rien entendre. Il s'enferme chez lui. La police, car la police est appelée à la rescousse, tente de le raisonner. Mais le secret de la longévité de Monroe tient peut-être dans sa capacité à s'obstiner. Le vieillard refuse tout dialogue et, pour prouver sa détermination, tire un coup de feu dans sa porte. Cette fois, c'en est trop. La police fait appel à une de ses unités d'élite, les SWAT.

Les farouches guerriers, armés jusqu'aux dents, prennent position. Ils introduisent une caméra dans la maison. Monroe, calé dans son fauteuil, sa canne sur l'accoudoir, est armé d'un revolver. Il en faut plus pour intimider une équipe d'élite surentraînée. Les SWAT inondent la maison de gaz, font diversion avec un engin explosif et investissent les lieux en ouvrant le feu. Ainsi s'achève, à 107 ans, la vie de Monroe Isadore. L'enquête conclura qu'il n'y a eu aucune anomalie.

Les SWAT sont armés et entraînés comme les membres des forces spéciales de l'armée. Ils en ont aussi le discernement… La première SWAT Team a été créée à Los Angeles après les émeutes de 1965 dans le quartier de Watts. Ça n'a pas été tout seul. Le chef de la police de l'époque a tenté de s'opposer à cette idée. Il la jugeait dangereuse. Il redoutait que cela n'ouvre une brèche dans la séparation, nécessaire selon lui, entre police et armée. Il n'a pas été écouté et la plupart des grandes villes ont emboîté le pas. Mais, au milieu des années 1980, seule une minorité de villes moyennes, à peine 15 %, avaient jugé utile de se doter d'une telle unité de police. Ensuite, les choses sont allées très vite. Aujourd'hui, plus de 90 % des villes de plus de 25 000 habitants ont une SWAT Team.

Cette dérive militariste de la police, le monde entier l'a constatée avec les émeutes qui, de Ferguson à Baltimore, ont scandé les bavures racistes de ces dernières années.

Pour contenir des manifestants, au demeurant peu nombreux, la police américaine déploie des engins blindés. Les hommes mettent en joue les protestataires avec des armes de guerre. Pistolets-mitrailleurs de type M16, mitrailleuses de gros calibre, fusils de précision de *snipers* dotés de lunettes de vision nocturne... Les policiers sont casqués, équipés de gilets pare-balles et de masques à gaz, habillés en tenue de camouflage. On dirait le Santiago du Chili de la pire époque modernisé.

Tout cela met profondément mal à l'aise et donne une impression de déjà-vu. Et pour cause. Ces équipements, ces armements, ces hommes armés, casqués, camouflés nous les connaissons bien. Ils ont envahi notre quotidien depuis une quinzaine d'années à longueur de reportages en Irak ou en Afghanistan. C'est le même matériel à l'œuvre dans les rues américaines. Au sens propre. Le ministère de la Défense a un programme spécial, le programme 1033, qui lui permet de revendre ses équipements aux forces de police. Les mêmes transports de troupes qui étaient censés pacifier Bagdad ou Falloujah sillonnent aujourd'hui les rues de Baltimore ou de Cleveland. Depuis 1997 et la création de ce programme, le Pentagone a vendu pour 4,3 milliards de dollars d'équipements militaires aux forces de police à travers tout le pays. Le président Obama n'a pas remis en cause ce programme. Au contraire. La Maison Blanche souligne, par exemple, combien il a été utile aux forces de police de disposer d'équipements militaires à Boston au moment de l'attentat contre le marathon en 2013. On se demande de quoi l'administration veut parler quand on se souvient que cette attaque a été perpétrée par deux hommes à l'aide de Cocotte-Minute piégées dissimulées dans des sacs à dos… Le président Obama a tout de même voulu poser quelques limites à la militarisation de la police. Il a par exemple interdit les transports de troupes à chenille, les mitrailleuses de trop gros calibre et… les baïonnettes.

Si le policier américain juge normal et utile de se transformer en guerrier, c'est qu'il se considère presque toujours en territoire hostile. Le civil, bien souvent, est devenu l'ennemi. Et c'est vrai que leur métier est dangereux : 51 policiers ont été tués en 2014. Pratiquement un chaque semaine. Et la tendance est régulièrement à la hausse. La préoccupation majeure des officiers qui patrouillent dans la rue, désormais, c'est de rentrer le soir à la maison. Ils vivent chaque confrontation comme si elle pouvait être la dernière. Et ils sont pratiquement prêts à tout pour garantir leur sécurité.

La coupure, le fossé, s'élargissent entre la population et sa police sans que l'Amérique en soit bien consciente. Il faut des émeutes ou des bavures spectaculaires pour que la catastrophe apparaisse au grand jour. On ne sait pas, par exemple, combien de gens sont tués chaque année par les forces de police. Elles n'ont aucune obligation de tenir le compte de ces incidents et si, par extraordinaire, elles le font, elles ne sont pas tenues de le communiquer. Un chiffre « officiel » circule néanmoins. Celui du FBI. Il fait état par exemple de 461 morts en 2013 contre 426 en 2012. La tendance est intéressante mais le chiffre, tout le monde le sait, n'a aucun sens. Il est la compilation des déclarations volontaires par certains États des morts « justifiées » à la suite de confrontations avec la police. Les observateurs, les rapports non officiels, les nombreuses organisations citoyennes qui scrutent le phénomène avancent un autre chiffre, considéré comme fiable et repris par les plus grands médias américains. Celui de 1 100 morts par an. Soit près de 3 par jour. Ces rapports soulignent la dérive de la « culture professionnelle » des forces de police. Les officiers, qui se sentent perpétuellement menacés, considèrent qu'ils ont acquis ainsi une sorte de permis de tuer. Cette absence de statistique, que bien peu de gens dénoncent, en dit long également sur le degré de résignation à la violence de la société américaine, toutes communautés confondues.

Les bavures, en effet, n'épargnent personne. Les premières victimes sont les *natives*, les Indiens. Moins de 1 % de la population, 2 % des tués. Viennent ensuite les Noirs : 30 % des tués alors qu'ils ne sont que 17 % de la population. Mais un homme sur deux abattu par la police est un Blanc. Et près de deux victimes sur dix, quelle que soit leur couleur, sont des malades mentaux. L'écrasante majorité des policiers n'a aucune formation pour gérer ces situations particulières mais fréquentes. Il existe bien un programme spécial, CIT pour Crisis Intervention Training, mais 15 % à peine des forces de police du pays l'ont suivi.

Contrairement à ce que l'on pourrait croire, ce ne sont pas les grandes villes qui ont le record de l'homicide policier mais les États du Sud et de l'Ouest, le Montana, le Nouveau-Mexique, l'Arizona… Après chaque bavure médiatisée, le débat ressurgit. Mais il est vite enterré. Le Congrès, qui, seul, pourrait obliger les 18 000 forces de police du pays à tenir et rendre publiques des statistiques, ne s'est jamais emparé de la question.

On aurait pu croire l'administration Obama plus sensible à ce problème. Notamment après la série dramatique inaugurée à Ferguson en août 2014, qui vit un nombre record de Noirs abattus dans des circonstances toutes plus scandaleuses les unes que les autres. Bien sûr, chaque bavure a donné lieu à des déclarations solennelles du président. Mais, dans les faits, sous sa présidence, la police a toujours été soutenue par l'administration, jusque dans les cas les plus limites, et c'est Eric Holder, le premier ministre noir de la Justice, qui s'en est chargé.

Le cas de Teresa Sheehan est particulièrement éloquent. Elle est internée à San Francisco dans un centre pour déficients mentaux. En août 2008 – elle a alors 58 ans – Teresa fait une crise. Elle refuse de prendre ses médicaments et menace un aide-soignant avec un couteau. Celui-ci appelle immédiatement la police. Aux deux officiers qui arrivent sur place, Teresa explique qu'elle veut rester seule et elle brandit encore une fois son couteau. Les officiers se retirent dans le couloir et appellent du renfort. Puis, soudain, ils changent d'avis. « On redoutait qu'elle s'échappe par la fenêtre », expliqueront-ils plus tard. Ils décident donc d'en finir et enfoncent la porte. Teresa est là, toujours avec son couteau. Les deux officiers l'arrosent de *pepper spray* et ouvrent le feu. Six balles. Par miracle, Teresa, touchée à plusieurs reprises, survit. Lorsqu'elle sort de l'hôpital, elle décide de poursuivre les policiers. La justice californienne lui donne tort. Bien sûr, il existe une loi qui prévoit de modifier les procédures d'arrestation face à des malades mentaux, comme le plaide son avocat, mais, dit la cour, cela ne s'applique plus lorsque la sécurité publique est en jeu… Teresa a beau expliquer qu'elle ne représentait une menace pour personne, qu'elle voulait juste rester seule et que c'est la deuxième entrée en force des policiers qui a provoqué l'escalade, rien n'y fait. Elle décide alors d'aller jusqu'à la Cour suprême des États-Unis. Et c'est là que l'administration Obama entre en jeu. Elle pèse de tout son poids pour légitimer l'action des officiers. Comme à chaque fois, sans exception, le ministère de la Justice se range aux côtés des forces de police, au motif que la menace qui plane sur les policiers ou la perception qu'ils en ont justifient le recours à la force. Le cas de Teresa Sheehan, aussi choquant soit-il, n'est pas isolé. En 2015 par exemple, le ministère de la Justice a soutenu des gardiens de prison du Wisconsin qui ont utilisé leurs Taser contre un détenu menotté dans sa cellule.

Ces prises de position de l'administration Obama, on s'en doute, ne font pas l'objet d'une grande publicité. Le grand public n'en a pas connaissance et, bien souvent, les policiers non plus. Le président de l'Association des responsables de police des grandes villes, Darrel W. Stephens, l'avouait au *New York Times* : « Les policiers très souvent ignorent combien M. Holder et le ministère de la Justice les soutiennent devant la Cour suprême. Il est sincère, ajoutait-il au sujet d'Eric Holder, c'est un vrai soutien pour la police. » Voilà peut-être pourquoi la situation n'évolue pas. À la démagogie des élus locaux qui, au Sénat comme à la Chambre, ne prennent aucune initiative, fait écho le double jeu du pouvoir fédéral. Indignation dans les médias, faiblesse face à l'institution.

Mais il ne faut pas s'y tromper, la police demeure très populaire dans de larges couches de la population. Notamment dans l'Amérique blanche républicaine. C'est elle qui fournit la grande majorité des « volontaires ». Ces auxiliaires de police non rémunérés mais armés qui donnent un coup de main pour tromper l'ennui. Ils sont des milliers, probablement des dizaines de milliers, il n'y a pas là non plus de statistique fiable. En tout cas, dans la bonne ville de Tulsa, en Oklahoma, qui compte près de 400 000 habitants, le shérif peut compter sur

128 volontaires. Parmi eux, Robert Bates, 73 ans, ancien courtier en assurance.

Bates adore jouer au gendarme et au voleur, avec lui bien sûr dans le rôle du gendarme. Un jour d'avril 2015, il participe, comme souvent, à une arrestation avec les vrais policiers. Alors que l'homme, coincé au sol, se débat, Bates décide de prêter main-forte à ses collègues à coups de Taser. Hélas, il se trompe et dégaine son pistolet. Le suspect, Eric Harris, est tué sur le coup. Bates, à son âge, n'aurait certainement pas dû être autorisé à participer armé à ce genre d'opération, mais c'est un grand ami du shérif et un généreux donateur de la police municipale. La scène, capturée en vidéo par la police, montre un Bates qui s'excuse : « Je l'ai tué, je suis désolé », dit-il. Devant la cour, il plaidera non coupable et sortira sous caution de 25 000 dollars, libre, y compris de quitter le territoire pour les Bahamas, son autre passe-temps favori quand il ne joue pas au policier.

10

BIG BROTHER

POUR SON PLUS GRAND MALHEUR, il illustre à lui seul les limites de la liberté de la presse aux États-Unis. Si Big Brother existe, James Risen est celui qui l'a rencontré.

C'est un journaliste bien sous tous rapports, comme l'Amérique est si fière d'en produire. Fils d'employés de la classe moyenne. Bon élève, diplômé de la Medill School of Journalism. Marié, père de trois enfants. Il débute dans des journaux d'importance moyenne avant d'être embauché par le *Los Angeles Times*. À partir de 1995, il couvre la CIA et, en 1998, c'est la consécration, il est recruté par le *New York Times*. En 2001, son rédacteur en chef lui demande d'enquêter, avec d'autres, sur les failles des services de renseignement qui ont rendu le 11-Septembre possible. Leur travail, remarquable, leur vaudra en 2002 le prix Pulitzer, le Nobel du journalisme. 2002, l'année du succès et l'année, il ne le sait pas encore, où sa vie va basculer.

En mars de cette année-là, James Risen publie un petit article sur un ancien officier noir de la CIA, Jeffrey Sterling, qui poursuit l'agence pour discrimination raciale. L'affaire n'est guère passionnante, mais elle instaure entre les deux hommes une proximité qui leur coûtera cher.

En 2002-2003, Risen poursuit son travail d'investigation sur les services de renseignement américains, et notamment sur la CIA. Il met en cause l'argument officiel de l'administration Bush pour envahir l'Irak, l'existence d'armes de destruction massive, et surtout il met au jour une opération secrète de la CIA : l'opération Merlin. Il s'agit d'une manipulation sophistiquée pour contrer les ambitions nucléaires de l'Iran. Le scénario est celui d'un film. Les Américains ont retourné un scientifique russe et l'ont contraint à fournir aux Iraniens des informations fausses sur certains composants des têtes nucléaires.

Nous sommes en 2003, l'année de l'invasion de l'Irak, et les relations du *New York Times* avec l'administration Bush sont tendues. Le passé professionnel de Risen donne des boutons aux va-t-en-guerre de la Maison Blanche. Dans le bras de fer entre le journal et le pouvoir politique, Risen passe à la trappe, ou plutôt son article. Il en faut plus pour le décourager. En 2004, il offre un autre scoop au journal. Comment l'Amérique, déjà !, écoute sans autorisation judiciaire des milliers de citoyens. Cette fois, ce n'est pas la guerre qui incite ses chefs à la prudence, ce sont les élections qui approchent et la campagne qui bat son plein. Pour la deuxième fois en deux ans, son enquête finit au marbre dont on fait les pierres tombales des articles dérangeants.

Cette fois c'en est trop. Risen décide de contourner l'obstacle. Il s'attaque à la rédaction de *State of War*, qui sortira en 2006 et deviendra très vite un best-seller grâce notamment aux deux histoires censurées.

La CIA et l'administration dans son ensemble éructent. Elles sont convaincues que Jeffrey Sterling est l'informateur principal de Risen. Commencent alors pour l'ancien officier de la CIA et pour le journaliste neuf années d'enfer.

James Risen, qui refuse bien sûr de révéler ses sources, est l'objet d'une enquête criminelle et est harcelé sans relâche. « La menace d'aller en prison m'a paralysé au début », avouera-t-il au magazine Vanity Fair en 2015, « mais elle était si permanente qu'elle a fini par disparaître, par se fondre dans une sorte de bruit d'ambiance ». Il n'empêche, pendant toutes ces années, Risen aura été l'objet d'une surveillance invraisemblable. Sans qu'il soit mis au courant, les enquêteurs épluchent ses conversations téléphoniques, lisent ses e-mails, ont accès à ses cartes de crédit, à ses relevés de banque et surveillent tous ses déplacements en avion. Ils ont même étudié à la loupe ses transferts d'argent par Western Union à un de ses fils. Il ne s'agissait pas seulement d'enquêter, mais bien de punir Risen et de tenter de le faire craquer. Sans succès.

Son cas, caricatural, n'est pas unique, et c'est sous la présidence de Barack Obama que le nombre a augmenté. En 2013, à la consternation générale, on découvre que vingt journalistes de la grande agence Associated Press (AP) ont été écoutés dans le secret le plus absolu pour tenter d'identifier leurs sources auprès des différentes agences fédérales. Un cas sans précédent dans l'histoire de la presse américaine. La même mésaventure arrive peu après à un reporter de Fox News. Plusieurs journalistes du *New York Times* et du *Washington Post* font également à leur tour l'objet d'enquêtes et de surveillance pour tenter d'identifier leurs sources gouvernementales. C'est comme si l'administration, au nom de la lutte contre le terrorisme, avait décidé de s'affranchir de toutes les règles. Elle va même jusqu'à ressusciter une loi, l'Espionage Act, de… 1917 pour tenter de donner un vernis de légalité à ses atteintes à la liberté de la presse. Cet Espionage Act, qui n'avait servi que deux fois depuis sa création, sera invoqué à six reprises sous Barack Obama.

Il n'y a pas que les journalistes qui trinquent. Leurs informateurs aussi. Jeffrey Sterling sera finalement condamné le 11 mai 2015 à trois années et demie de prison — le procureur en avait réclamé plus de vingt. Son épouse implorera en vain la clémence présidentielle. Pour les observateurs, l'administration Obama a voulu dans cette affaire, par son extrême sévérité, envoyer un message à tous les lanceurs d'alerte potentiels. De même qu'elle a poursuivi plus de journalistes qu'aucune administration avant elle, l'équipe Obama a également poursuivi plus de fonctionnaires fédéraux qu'aucun président n'avait osé le faire.

Le 11-Septembre a rendu l'Amérique paranoïaque. On peut le comprendre, même si c'est certainement là la vraie victoire des terroristes. Quinze ans après, on aurait pu espérer une Amérique toujours vigilante, mais apaisée. C'est le contraire qui se produit. Et Barack Obama l'assume et même le justifie publiquement : « On ne peut pas avoir 100 % de sécurité, dit-il en juin 2013, et 100 % de protection de la vie privée. Je pense que nous avons trouvé le bon équilibre. » Une phrase terrible, contraire à tous les fondements de la démocratie. Au principe même des libertés publiques. Une phrase d'une pauvreté conceptuelle déconcertante, comme si la sécurité n'était pas la première des libertés et comme si la liberté n'était pas justement la seule sécurité contre les dérives abusives des États. Mais en Amérique, où la tentation totalitaire, ou à tout le moins autoritaire, n'est jamais loin, cette phrase a été considérée comme un monument de sagesse.

Pour mettre ses actes en accord avec ses paroles, Obama a à sa disposition tout l'arsenal nécessaire. Un monstre bâti au lendemain du 11-Septembre. Une hydre aux seize têtes, seize agences gouvernementales chargées de traquer les terroristes. Pour nourrir la bête, rien n'est trop beau. Un peu plus de 50 milliards de dollars de budget, auxquels il faut ajouter 20 milliards environ pour les programmes directement financés par l'armée. C'est plus que le budget de l'éducation. Plus que l'agriculture, la justice et la NASA réunis. Ces seize agences, qui sont censées travailler en étroite coordination, se livrent une concurrence acharnée. Leur budget, une fraction des 50 milliards, dépend de leur efficacité. Et puisqu'il faut trouver des terroristes, elles en trouvent. On ne compte plus les cas où un agent *undercover*, infiltré, réussit à persuader un pauvre type d'envisager un attentat. Ensuite, après l'avoir aidé à trouver des armes ou des explosifs, l'agent le fait arrêter et triomphe dans les médias : « À aucun moment la sécurité publique n'a été mise en danger. » On ne compte plus non plus les « bavures », les signalements abusifs, les suspicions illégitimes, comme contre ce malheureux chroniqueur de Fox News traité comme un supplétif d'al-Qaida parce qu'il avait acheté un aller simple pour Istanbul pour lui et sa femme. Il croyait s'offrir une aventure, partir à la découverte de l'Europe sans savoir encore où s'arrêterait son périple et donc d'où il reviendrait aux États-Unis. L'aventure a dépassé tous ses espoirs. Des années après, il n'a toujours pas réussi à convaincre les subtils enquêteurs antiterroristes et a pratiquement renoncé à prendre un vol intérieur.

Le monstre emploie plus de 100 000 personnes, mais c'est la CIA qui domine. On est loin d'une agence de renseignement classique. La CIA s'est dotée au fil des années d'une force paramilitaire qui mène des interrogatoires, emprisonne, intervient ici ou là et utilise ses propres drones pour éliminer les terroristes présumés. La CIA a plus de 20 000 employés aujourd'hui et ce nombre grandit d'année en année. L'agence n'a absolument pas pâti des failles détectées en 2001 ni des mensonges fabriqués en 2003 pour l'invasion de l'Irak. Au lendemain du 11-Septembre, l'Amérique a fait ce qu'il y avait de plus simple et de plus évident. Elle a décidé de renforcer de manière caricaturale son arsenal législatif et son appareil militaro-policier. Surveillance généralisée avec les lois d'exception du Patriot Act et répression immédiate. Mais, à y regarder de plus près, tout cela n'était probablement pas nécessaire. Les États-Unis disposaient déjà de tous les moyens pour assurer leur sécurité. La preuve, c'est que le 11-Septembre aurait pu être évité si certains au FBI et à la CIA avaient fait preuve d'un peu moins d'arrogance et d'un peu plus de compétence.

L'histoire, incroyable, a été détaillée par Philip Shenon dans *Newsweek* et corroborée par le témoignage sous serment devant le Congrès de Coleen Rowley, ancien agent du FBI à Minneapolis. Cette affaire, bien que publique, n'est guère connue aux États-Unis et on comprend pourquoi.

En août 2001, le 17 très exactement, l'agent spécial du FBI Harry Samit interroge, dans ses bureaux de Minneapolis, Zacarias Moussaoui. Le Français, le vingtième terroriste, celui qui ne prendra jamais l'avion. Samit, un ancien de l'école d'aviation Top Gun, est convaincu d'avoir affaire à un terroriste qui s'apprête à participer à un détournement. L'origine de ses soupçons vient de renseignements qu'il a obtenus auprès de l'école d'aviation locale. Le comportement de Moussaoui, ses étranges requêtes en termes d'enseignement, le fait qu'il paye ses cours en liquide, tout cela a éveillé la méfiance de ses instructeurs et est parvenu jusqu'à l'agent du FBI. S'il a pu l'arrêter pour l'interroger, c'est parce que son visa a expiré depuis quelques jours. L'agent Samit a rapidement des certitudes, mais pas de preuve. Pour aller plus loin, perquisitionner chez Moussaoui, fouiller son ordinateur, il lui faut un mandat d'un juge fédéral. Il alerte donc sa hiérarchie. Son premier rapport est traité avec condescendance à Washington. Samit, convaincu qu'il n'y a pas de temps à perdre, insiste. Son supérieur direct à Minneapolis le soutient. Le 27 août, devant l'inertie de Washington, il prend même tous les risques qu'un fonctionnaire de province puisse prendre. Il téléphone au siège du FBI dans la capitale fédérale. Moussaoui fait partie d'un complot pour prendre le contrôle d'un avion et le précipiter sur une cible, dit-il en substance à ses interlocuteurs, qui sont aussi ses supérieurs hiérarchiques. On l'écoute poliment. Comme Moussaoui est en prison, les génies de Washington estiment que la menace est écartée. Michael Rolince, qui fait la liaison entre le Bureau et la Maison Blanche, est briefé « vingt secondes », dira-t-il, sur le cas Moussaoui. Un rapport arrive tout de même jusqu'au bureau du patron de la CIA de l'époque, George Tenet. Il est titré : « Des extrémistes islamistes apprennent à piloter des avions ». Cela devrait déclencher toutes les alarmes au sein de la communauté du renseignement. Il ne se passe rien. Rapport enterré. Le 11 septembre 2001, à 8 h 46, lorsque le premier avion heurte la première tour, l'agent Coleen Rowley, qui travaille avec Samit, réclame immédiatement auprès du Bureau à Washington un mandat en urgence pour perquisitionner chez Moussaoui. « C'est une coïncidence », s'entend-elle répondre, et on l'enjoint de ne rien entreprendre, bref, de se calmer avec son pseudoterroriste de province... Ce n'est qu'après que le quatrième avion s'est écrasé en Pennsylvanie que le FBI daignera demander un mandat à un juge fédéral. Dans l'ordinateur de Moussaoui, les agents du FBI de Minneapolis trouveront les preuves de la préparation des attentats, ainsi que les coordonnées du logisticien du complot, Bin Al-Shibh, l'homme qui était en contact et versait l'argent aux dix-neuf autres terroristes...

L'Amérique n'a donc pas manqué de moyens ni de lois d'exception pour éviter le 11-Septembre. Elle s'est pourtant immédiatement dotée du Patriot Act et de son cortège de restrictions aux libertés fondamentales. Quant aux incompétents qui n'ont pas vu l'évidence, ils ont tous été promus... Il est frappant de voir que la France a fait à peu près la même chose. De Mohamed Merah aux frères Kouachi, pas un attentat qui n'ait été perpétré par des individus connus des services de police. Et pourtant, plutôt que de chercher à comprendre ce qui a dysfonctionné, pourquoi la surveillance a failli, la France a préféré elle aussi se doter d'un arsenal législatif exorbitant du droit commun. Un réflexe qui a l'avantage d'éviter l'autocritique et d'absoudre tous ceux qui ont failli, puisqu'ils n'avaient pas les moyens légaux de remplir correctement leur mission...

Dotée de ses lois d'exception, de ses seize agences, de ses dizaines de milliards de dollars et de ses 100000 agents spéciaux, l'Amérique entend bien ne laisser aucune chance aux terroristes. Une agence va particulièrement s'illustrer : la NSA, la National Security Agency. Et au-delà de ce que personne n'aurait osé imaginer.

La bombe explose le 20 mai 2013. Ce jour-là, un informaticien de 30 ans, Edward Snowden, parfaitement inconnu du public, abandonne son poste à la NSA à Hawaï. Il emporte avec lui des centaines de milliers de documents confidentiels qui vont révéler au monde l'ampleur du programme d'espionnage américain. L'affaire est aujourd'hui parfaitement connue. Communications téléphoniques, courriels, réseaux sociaux, informations codées telles que dossiers médicaux ou échanges commerciaux, la NSA écoute et décrypte tout et tout le monde. Des dirigeants de pays amis comme Angela Merkel ou François Hollande, jusqu'aux simples citoyens, étrangers ou américains. Le scandale est énorme. Snowden, réfugié un temps à Hong Kong, s'enfuit pour Moscou, qui lui donne l'asile après que toutes les capitales occidentales, y compris Paris, ont refusé de le recevoir.

Snowden est aujourd'hui considéré comme un héros par une grande partie de l'opinion publique, y compris aux États-Unis, mais pas par l'administration Obama, qui lui promet des dizaines d'années de prison s'il remet les pieds dans le pays.

Les révélations de Snowden ont mis en évidence plusieurs choses. À commencer par l'ampleur d'un système d'écoute parfaitement déraisonnable et dont l'efficacité reste à démontrer. Plus on découvre son fonctionnement, plus on a le sentiment d'avoir affaire à une machine folle hors contrôle et irrationnelle. Ses révélations décrivent en filigrane un monde du renseignement en vase clos. L'homme qui dirige la NSA et ce programme d'espionnage généralisé s'appelle Keith Alexander. C'est un général. Lorsqu'il était à la tête des services de renseignement de l'armée de terre, il s'était fait aménager un « centre de domination de l'information », réplique exacte de la salle de commandement de *Star Trek*… Sous sa houlette, la NSA écoute pour écouter. Toujours plus, autant que les progrès technologiques le permettent. La NSA écoute tout et n'entend rien. Ni les frères Tsarnaev avant l'attentat de Boston, ni les hordes de l'État islamique qui se mettent en marche en Irak et en Syrie. « C'est efficace ! » jurent pourtant la main sur le cœur ses dirigeants. Mais, au nom du secret-défense, ils refusent bien sûr de donner la moindre preuve de cette efficacité. Et la fuite en avant se poursuit. Actuellement, la NSA est en train de construire un nouveau centre de traitement de l'information ultrasecret à Bluffdale, dans l'Utah, au milieu de nulle part, pour la bagatelle de 2 milliards de dollars.

Les révélations de Snowden créent un séisme dans le monde entier et bien sûr aussi aux États-Unis. Les géants du secteur technologique, Google, Yahoo, Facebook, Twitter, Microsoft, etc., saisissent la justice sur la légalité plus que discutable des écoutes. Barack Obama, conscient de l'ampleur du problème, invite à la Maison Blanche pour les calmer les patrons de ces grands groupes. Succès mitigé. Larry Page, l'un des deux fondateurs de Google, ne fait même pas le déplacement et dépêche un obscur subordonné. Tous décident en revanche de contre-attaquer. Ils investissent des millions de dollars dans des systèmes d'encryptage ultrasophistiqués. Les échanges entre leurs clients sont aujourd'hui pratiquement indécodables. Les Américains, eux aussi, modifient leurs comportements. Deux ans après les révélations de Snowden, un tiers d'entre eux disaient avoir changé leurs pratiques. Ils se font plus discrets sur les réseaux sociaux. Sélectionnent plus attentivement leurs paramètres de confidentialité...

Depuis son exil moscovite, Edward Snowden peut méditer sur les paradoxes de l'histoire. Le voilà réfugié, tout comme Julian Assange, le créateur de WikiLeaks, sous peine d'être embastillé, à l'instar de Bradley Manning, l'un des principaux informateurs d'Assange, à l'origine notamment des fuites sur les exactions américaines en Irak. Leur crime : avoir révélé des vérités. Quelle ironie, surtout si on compare leur sort à celui du général David Petraeus. Un vrai héros américain. Ancien commandant des forces en Irak, ancien patron de la CIA surtout. Un homme sérieux *a priori*, mais qui n'hésita pas à dévoiler des documents classés défense à sa biographe, qui se trouvait également être sa maîtresse. Pour ce crime fédéral, car c'en est un, il a été jugé et a écopé... d'une amende. Aujourd'hui, le maître espion, le grand guerrier qui trahit sur l'oreiller, est toujours pris au sérieux. Il plastronne dans les médias, donne des conseils sur ce qu'il conviendrait de faire contre l'État islamique...

L'Amérique, pays autoproclamé de la liberté, en a finalement une conception assez singulière. Et le problème ne date pas d'aujourd'hui. La tentation totalitaire a toujours été là, tapie derrière un contrôle social pesant, un amour de l'ordre et de la délation jamais pris en défaut. À certains moments de leur histoire, les Américains ont tout simplement transformé leur pays en État policier. Ce fut le cas dans les années 1950, pendant ce qu'on a appelé le « maccarthysme ». Au plus fort de la guerre froide, la chasse au communiste, à l'ennemi de l'intérieur, occupe tout le pays. Quelques centaines d'Américains sont jetés en prison, mais des dizaines de milliers d'autres perdent leur emploi et sont mis au ban de la société. Ce totalitarisme mou, qui ne tue pas, qui ne déporte pas, mais qui détruit socialement les individus, s'applique sans crainte du ridicule pendant sept années. On mesure sa stupidité à la liste de ses victimes les plus célèbres : Albert Einstein, Orson Welles, Charlie Chaplin, Leonard Bernstein et tant d'autres. C'est l'époque également où l'homosexualité est considérée comme une maladie, comme une menace qui porte atteinte à l'ordre familial et par là même à tout l'édifice social. Le FBI met en fiches les homosexuels, il les surveille. Une grande partie de l'appareil policier et des procédures mises en place à l'époque va perdurer jusqu'à aujourd'hui.

La guerre contre le terrorisme, au nom de laquelle l'Amérique écoute ses ressortissants et intimide ses journalistes, ressemble comme deux gouttes d'eau, les avancées technologiques en plus, à la guerre contre le communisme. Remplacez communiste par terroriste, homosexuel par musulman, et vous avez le maccarthysme version Patriot Act des années post 11-Septembre. Il y a quelque chose de chinois dans cette manière de ne pouvoir envisager la liberté qu'à l'intérieur d'un système. La liberté du poisson rouge, parfaitement autorisé à faire tout et n'importe quoi, à l'intérieur du bocal.

11

À LA GRÂCE DE DIEU

ELLE A L'AIR UN PEU EXALTÉE, Kim Davis, la greffière du comté de Rowan, dans le Kentucky. Derrière le comptoir qui sépare ses services du public, elle fait face à un couple homosexuel. Les deux hommes sont venus réclamer leur certificat de mariage. Avec ses lunettes épaisses, ses cheveux filasse et sa jupe de gros drap jusqu'aux chevilles, on se doute qu'elle ne plaisante pas. À ces interlocuteurs qui réclament simplement leur dû, elle répond tranquillement que c'est impossible. Et elle argumente. C'est pour elle une question « de paradis ou d'enfer ». Entendez par là que son salut en dépend… Inenvisageable qu'elle appose son sceau sur ce document satanique ni qu'aucun de ses adjoints le fasse. Elle le leur interdit formellement. Et elle retourne dans son bureau dont elle ferme la porte. Le mariage homosexuel étant légal aux États-Unis, le couple finira par obtenir satisfaction, mais pas des mains de

Kim Davis. Celle-ci préférera passer quelques jours en prison au nom de ses convictions avant de retrouver son poste. Tout le camp républicain ou presque l'a soutenue dans son bras de fer avec la légalité. On a vu la plupart des candidats à l'investiture républicaine se précipiter à ses côtés. Le pays s'est déchiré sur son sort. Elle est devenue pour la droite évangélique une sorte de sainte et de martyre. Le symbole même de la liberté religieuse.

Cette scène surréaliste, où un officier ministériel place ses convictions au-dessus de la loi qu'il est censé incarner, n'est pas exceptionnelle aux États-Unis. C'est en fait tout le pays, laïque en théorie, qui ne cesse de se débattre avec les questions religieuses.

La vie publique américaine, depuis une trentaine d'années, est empoisonnée par les cas de conscience des chrétiens fondamentalistes. Leur vigilance de chaque instant surprend même les politiciens les plus chevronnés comme les concepteurs de la réforme de la santé du président Obama. Après des années de négociations et de compromis, l'« Obamacare » passe enfin l'obstacle du Congrès. On est certes loin du projet initial mais, pour la première fois, l'Amérique se dote d'une assurance santé en théorie accessible à tous. C'est, sur le plan intérieur, l'essentiel de l'héritage Obama. Mais c'est compter sans la vigilance des chrétiens conservateurs.

Cette assurance santé se rapproche du concept européen. Chacun paye pour les autres et pour tous les risques. Jusqu'à présent, les Américains s'assuraient à la carte. Choisissaient ce qui entrait ou pas dans le cadre de leur couverture santé personnelle. C'est donc une révolution, probablement pas assez expliquée par l'administration, qui est proposée. Nombre d'Américains n'y comprennent rien et s'insurgent. Les couples qui ne veulent plus ou pas avoir d'enfants, par exemple, ne voient pas pourquoi ils devraient cotiser pour les risques liés à la grossesse ou à l'accouchement. Au paradis de l'individualisme, le principe même de la mutualisation apparaît comme une absurdité.

Les premiers à s'en indigner, ce sont les communautés religieuses. La justice américaine décide rapidement de les exempter. Mais cela ne suffit pas à enrayer le mouvement. Toutes les institutions chrétiennes leur emboîtent le pas. Et elles sont nombreuses : écoles, hôpitaux, universités... Elles sont bientôt imitées par le secteur privé.

Hobby Lobby est une des plus grandes chaînes de bricolage et de décoration du pays. Près de 25 000 employés, 570 magasins à travers les États-Unis. David Green, son fondateur, est un chrétien, conservateur mais social. Il ferme ses enseignes le dimanche, ce qui est exceptionnel, pour que ses salariés puissent aller à la messe. Il leur offre aussi depuis toujours une assurance santé. Avec le vote de l'« Obamacare », Green doit souscrire de nouveaux contrats qui correspondent aux critères de la nouvelle loi. Lorsqu'il découvre qu'il va désormais payer pour la contraception, et notamment pour la pilule du lendemain, Green explose. « Les croyances religieuses de la famille Green, écrit-il, lui interdisent de participer et de faciliter l'accès à des pratiques abortives. » Et il emmène l'affaire devant la justice au nom du premier amendement et de la loi de 1993 sur la liberté religieuse. La Cour suprême des États-Unis lui donnera raison, ouvrant ainsi la voie à une série d'exceptions fondées sur les convictions des employeurs.

L'avortement est de loin le sujet le plus sensible pour les chrétiens conservateurs. Une bataille jamais finie et que le camp républicain mène sans relâche dans tous les États qu'il contrôle. De 2001 à 2010, 212 lois restreignant le droit à l'avortement ont été passées par des majorités républicaines. Depuis 2011, le rythme s'accélère encore. On en est à plus de 200 textes restrictifs au milieu de la décennie. C'est le Texas qui mène la lutte. Faute de pouvoir attaquer de front le droit à l'avortement, son gouverneur Rick Perry pratique le harcèlement législatif. Il multiplie les difficultés réglementaires, impose des normes si exigeantes que près des deux tiers des cliniques pratiquant l'avortement sont menacées de fermeture et préfèrent renoncer.

Mariage gay, avortement, contraception, il n'y a pas qu'aux États-Unis que ces sujets divisent la société, mais il n'y a qu'aux États-Unis que le clivage recoupe aussi caricaturalement les lignes de partage politique et surtout résonne à ce point dans la vie publique. Il faut dire que Dieu et la religion sont omniprésents dans les institutions du pays.

Quel plus fort symbole de l'Amérique que sa monnaie, le dollar. Sur chaque billet, quel que soit le président représenté, une seule phrase : « *In God we trust*». Le plus souvent incrustée au-dessus de la Maison Blanche. Le serment d'allégeance que la plupart des Américains prêtent tout au long de leur vie, ne serait-ce que durant leur scolarité, fait explicitement référence à la religion en mentionnant l'« autorité de Dieu ». Les présidents prêtent serment sur une bible et concluent par ces mots : *« So help me God »*, à la grâce de Dieu. Dans la vie publique, la prière est totalement banalisée. La quasi-totalité des conseils municipaux, des assemblées publiques de tous ordres, s'ouvrent par une adresse à Dieu. Cela est vrai au Congrès, à la Chambre des représentants et au Sénat, à la Maison Blanche lors de réunions de cabinet, tout comme dans les petites assemblées locales.

Régulièrement, une poignée d'Américains s'en émeut. La SCA, la Secular Coalition for America, ne baisse pas les bras. Au nom des 23 % de citoyens qui ne sont pas religieux, elle saisit régulièrement la justice. Elle va même jusqu'à la Cour suprême. Bel exemple de ténacité quand on sait que la noble assemblée, qui dit le bien et le mal, commence invariablement ses travaux par la phrase suivante : « Que Dieu préserve les États-Unis et cette honorable cour »... La dernière fois qu'elle a eu à se prononcer, c'était à l'initiative d'habitants de Greece, une ville de 96 000 habitants de l'État de New York. Chaque mois, le clergé local est invité à ouvrir les travaux du conseil municipal par une prière. Les deux plaignantes demandaient que cela cesse ou, à tout le moins, que cette prière soit non confessionnelle. La Cour suprême, sans surprise, ne leur a pas donné raison. « Ce que nous essayons de faire ici », a expliqué la juge Kagan, réputée libérale, « c'est de maintenir une société multireligieuse ». On réalise là l'étendue du malentendu.

La société américaine, en toute bonne foi, se croit laïque parce qu'elle n'a pas de religion officielle. C'est même sur ce principe qu'elle s'est bâtie. Sur la liberté de croyance. Et le premier amendement précise bien que « le Congrès ne fera aucune loi pour conférer un statut institutionnel à une religion ». Les chrétiens fondamentalistes venus d'Europe du Nord, persécutés pour leur foi dans leurs pays d'origine, voulaient absolument s'assurer qu'ils ne revivraient pas de ce côté de l'Atlantique ce qu'ils avaient connu en Europe. La domination d'un culte officiel sur tous les autres. C'est ainsi, sous cette protection absolue, que les sectes les plus intransigeantes ont pu prospérer jusqu'à aujourd'hui, amish, mennonites, etc. C'est ainsi aussi, poussant le principe jusqu'à l'absurde, que la scientologie est considérée comme une religion, comme s'il suffisait de se baptiser église pour en être une…

Le concept même de laïcité n'a pas grand sens aux États-Unis. Il n'y a d'ailleurs pas vraiment de mot pour le traduire. *« Secularism »*, qui est généralement employé, signifie plutôt profane que laïque. Comment dire en effet ce qui n'est pas pensé. Le fossé entre la France et les États-Unis est apparu en janvier 2015, après l'attentat contre *Charlie Hebdo*. Si toute l'Amérique a bien sûr condamné l'attaque, le sentiment à l'endroit des caricatures de Mahomet est plus que mitigé.

Dès 2012, le porte-parole de la Maison Blanche, à l'époque Jay Carney, s'était publiquement interrogé sur l'opportunité de publier de tels dessins. Interrogation reprise en janvier 2015, au lendemain même des attentats, par son successeur Josh Earnest. Et l'on est en droit de se demander, au regard de ces communications, si l'absence du président Obama à la grande manifestation parisienne contre le terrorisme n'est qu'une bévue ou bien une décision soigneusement pesée…

La presse américaine, dans sa timidité, illustre bien le malaise de l'Amérique dès qu'il s'agit de religion. Le *New York Times*, CNN, Fox, ABC, NBC, pour ne citer qu'eux, ont refusé de publier les caricatures pour lesquelles l'équipe de *Charlie Hebdo* a été tuée ainsi que deux policiers et un agent de maintenance. Le patron du *NYT* a doctement expliqué que son journal proscrivait la publication de « tout ce qui est destiné à heurter la sensibilité religieuse. Décrire les dessins donne suffisamment d'information à nos lecteurs. » Un éditorialiste du journal, David Brooks, va plus loin. « Sur un quelconque campus américain, *Charlie Hebdo* n'aurait pas duré trente secondes. Les étudiants l'auraient accusé de tenir des discours haineux et l'administration l'aurait fait fermer. » Et le pire est qu'il a absolument raison. Dans ce pays qui s'autoproclame gardien de la liberté d'expression, se moquer de la religion, quelle qu'elle soit, est tabou.

Cette bigoterie n'est pas nouvelle mais, contrairement à ce que l'on pourrait croire, elle s'aggrave avec le temps et culmine depuis une cinquantaine d'années. L'homme clef dans cette évolution, celui dont tout le monde devrait connaître le nom, à l'instar de ceux des plus grands présidents, c'est Billy Graham.

Rien ne désignait ce fils d'éleveur de Caroline du Nord à jouer un rôle éminent dans l'histoire américaine, il aura pourtant été l'un des acteurs les plus influents du XXe siècle. Graham est né en 1918. À 31 ans, en 1949, parfaitement inconnu du plus grand nombre, il explose dans la vie publique américaine, dont il occupera le devant de la scène jusqu'aux années Bush père.

Le 25 septembre 1949, Billy Graham prononce un sermon devant 5 000 personnes à Los Angeles. C'est une de ces réunions spectaculaires de chrétiens évangéliques comme il y en a tant aux États-Unis. Graham fait la leçon à son auditoire, qui est venu pour ça. La « cité des Anges » est corrompue. Sexe, drogue, alcool… tous les péchés de la terre lui feront connaître le sort de Sodome et Gomorrhe. Graham appelle à la repentance. Il ne manque pas de charisme et ce discours seul pourrait justifier un honnête succès. Mais Billy Graham va avoir un trait de génie. Deux jours auparavant, le 23 septembre, le monde sidéré a appris que l'URSS possède désormais la bombe atomique. Les Américains, terrorisés, savent qu'ils ne sont plus invincibles. Graham s'empare de leur peur, la transforme, en fait une arme de séduction. « Le communisme, leur dit-il, est une religion directement inspirée par le diable lui-même et qui a déclaré la guerre contre Dieu tout-puissant. » Il conjure la foule de se mobiliser, de vivre sa foi non plus simplement pour le salut de son âme, mais pour sa survie et la survie de la communauté.

Le discours fait mouche, rassure, mobilise. La bonne et forte parole se répand. Graham, qui devait rester trois semaines à Los Angeles, va faire salle comble pendant deux mois. Plus de 350 000 personnes viennent conjurer leur peur sous son chapiteau. Puis Graham entame une tournée triomphale à travers tout le pays. Les Russes ont la bombe, nous, nous avons Dieu, tel est son credo, et l'Amérique veut y croire. En ces lendemains de guerre, dans un monde qui n'a jamais été aussi incertain, Graham devient le commandant en chef spirituel de la guerre froide.

Cela n'a pas échappé à l'un des hommes les plus riches de l'Amérique d'alors : Sid Richardson. C'est un pétrolier texan, ami de tout ce qui compte dans le camp républicain. Richardson adhère totalement au discours de Graham. Les deux hommes se rencontrent et s'apprécient d'autant plus que le prédicateur ne se contente pas de lutter contre le communisme. Il prie aussi pour la libre entreprise et ne manque jamais de dénoncer les syndicats et leurs grèves comme une création diabolique. Au jardin d'Éden, explique-t-il un jour, il n'y avait ni serpent, ni maladie, ni leaders syndicaux… Il arrondit également ses fins de mois en « bénissant » des entreprises, comme les hôtels Holiday Inn par exemple. Graham et Richardson ont des ambitions pour leur pays. En 1951, un an avant la présidentielle, ils jettent leur dévolu sur le général Eisenhower et décident d'en faire leur champion. Celui-ci, après avoir été discret pendant sa carrière militaire, ne fait plus mystère de sa foi. « Une démocratie ne peut exister sans base religieuse et je crois à la démocratie », déclare-t-il au *New York Times*. Le charisme de Graham et les dollars de Richardson achèveront de convaincre le général de se lancer dans la course.

Graham, sans jamais apparaître formellement, inspire et relaie les thèmes de campagne. Jusqu'au triomphe de 1952 : plus de 55 % des voix. S'ouvrent alors pour l'Amérique deux mandats, huit années, qui vont la faire basculer dans la religiosité institutionnelle dans laquelle elle se débat encore.

Pour Dwight Eisenhower, les choses sont simples. Les Américains sont un peuple croyant et les pères fondateurs ont traduit en termes politiques cette croyance. Il convient de retourner à ces fondamentaux, c'est en substance ce qu'il explique dans son discours de président élu fin 1952 et c'est ce à quoi il va s'employer pendant ses deux mandats.

Sous sa présidence, toutes les réunions de cabinet commenceront par une prière. L'Independance Day, jour de fête nationale, devient lui aussi un jour de prière. C'est avec sa bénédiction, si l'on ose dire, que *« In God We Trust »* et *« One Nation under God »*, « Nous croyons en Dieu » et « Une nation sous la loi du seigneur », s'imposent dans la vie publique. C'est grâce à lui que, depuis 1954, tous les écoliers américains invoquent Dieu dans le serment au drapeau. C'est en 1954 aussi que le président tord le bras du service national de la poste afin que, pour la première fois, un timbre porte ces mots : « *In God We Trust* ». Le succès est tel que, très vite, la phrase se répand sur tous les billets de banque avant de devenir la devise officielle du pays. Sous Eisenhower, en l'espace de quelques années, la religiosité envahit tous les domaines de la vie publique américaine. Même l'inauguration du premier Disneyland en 1955, retransmise en direct à la télévision, est l'occasion d'une grande prière publique. Dieu au secours de Mickey.

Pour Billy Graham, pour Sid Richardson, pour tous ceux qui croient en la libre entreprise, en l'individualisme sacré et en Dieu, c'est une époque bénie. La vraie renaissance. Billy Graham ne va pas s'arrêter là. Après Eisenhower, il se range aux côtés de celui qui fut son vice-président, Richard Nixon. « Il n'y a pas d'Américain que j'admire plus que lui », dira-t-il à la convention qui porte son poulain vers la Maison Blanche. Nixon parti, ce sera l'heure de Reagan, à qui il inspire le fameux « *God Bless America* ». Une phrase dont on croit à tort qu'elle a toujours fait partie du lexique politique américain alors que c'est Ronald Reagan qui, le premier, la popularisera puis la systématisera dans la vie publique. Enfin, pour couronner sa carrière de faiseur de rois républicains, Graham se rangera aux côtés de son vieil ami George Bush père.

Si les républicains, sous l'influence de Graham, ont importé la religiosité dans la vie publique, ils n'en ont pas le monopole.

Bill Clinton, par exemple, n'a jamais fait mystère de son engagement de baptiste. Ses interventions publiques étaient truffées de références aux Écritures et, au plus fort de l'affaire Monica Lewinsky, il demandera au public de prier pour lui et de lui accorder sa miséricorde. Quant à Barack Obama, en qui, avec une naïveté touchante, une partie de la gauche française a voulu voir un de ses héros, il a plus qu'aucun autre démocrate célébré les valeurs chrétiennes. Il lui est même arrivé d'en faire un peu trop. En 2014, lors d'un discours sur les questions d'immigration, il convoque un passage de la Bible pour étayer ses propos : *« The good book says don't throw stones in glass houses »* (« Ne jetez pas de pierres dans les maisons de verre »), cite-t-il. Depuis, les exégètes cherchent encore où le président américain a bien pu trouver cette phrase…

Alors que la religiosité envahit la vie publique, elle recule, un peu, dans la population. Plus exactement chez les jeunes. Le PEW Institute, qui est un peu l'Insee des États-Unis, recense 23 % d'Américains qui n'appartiennent à aucune Église. Ils n'étaient que 16 % en 2007. Ne pas appartenir à une Église ne signifie pas qu'on ne croit pas en Dieu et personne ne sait comment ces *millenials*, les gens nés après 1980, évolueront avec l'âge, mais néanmoins la tendance est là. Chez les catholiques, elle est compensée par l'immigration latino-américaine. C'est la population protestante religieuse qui décline le plus, tout en restant majoritaire de manière écrasante.

Si la pratique baisse, si l'affiliation à une Église diminue légèrement, il n'y a pas pour autant de rejet du religieux, loin de là. Le PEW Institute constate que la moitié des Américains souhaite que la religion joue un rôle en politique. Ils sont exactement 49 % à le vouloir alors qu'ils n'étaient que 43 % en 2010. Cette hausse est surtout le fait des électeurs républicains, alors que le chiffre reste stable chez les démocrates. La contradiction entre désaffection et mélange des genres n'est qu'apparente. Si beaucoup de jeunes se détournent des églises traditionnelles, ils rejoignent en revanche leurs aînés dans la méfiance vis-à-vis du politique et cherchent, comme eux, à remettre les valeurs au centre du jeu.

Les politiques ne s'y sont pas trompés. Ils donnent des gages. Multiplient les preuves de leur foi, à défaut de leur bonne foi. Ainsi Jeb Bush qui porte en sautoir sa conversion au catholicisme sous l'influence de sa femme d'origine mexicaine. Ou bien Hillary Clinton qui bénit l'Amérique et les électeurs à chaque meeting. Même les plus décalés, comme le maire de New York, Bill de Blasio, savent qu'il faut surfer sur la vague. Il vient d'ajouter deux jours fériés au calendrier scolaire de sa ville, deux jours de fêtes musulmanes. Et il a promis d'y adjoindre une journée de célébration bouddhiste… La « laïcité » communautariste à l'américaine.

Les politiques sont devenus dans une large mesure les otages de la religion. Il en va ainsi des candidats républicains à la présidentielle, victimes consentantes du système des primaires qui les oblige à courtiser d'abord les plus radicaux de leurs électeurs. Chaque primaire commence traditionnellement par le caucus de l'Iowa. Bien que ce petit État ne soit pas plus religieux qu'un autre, les chrétiens évangéliques y représentent environ 60 % des votants républicains à la primaire. Tous les quatre ans, c'est donc le défilé, un peu humiliant, des candidats à l'investiture. C'est la tournée des églises, un concours de bigoterie, à qui sera le plus dévot. La palme de l'indignité, pour la campagne 2016, revient peut-être à Bobby Jindal, le gouverneur de Louisiane. Il affirme à la foule intégriste que le plus beau jour de sa vie n'est pas celui de son mariage, ni celui de la naissance de son premier enfant, non. Le plus beau jour de sa vie, c'est celui où il a rencontré Jésus-Christ. Carly Fiorina, l'ancienne patronne de Hewlett Packard, explique elle que, après avoir perdu un enfant, c'est sa relation personnelle (*sic*) avec Jésus-Christ qui l'a sauvée du désespoir…

Au-delà des propos de circonstance, plus ou moins sincères, la croyance dans les Écritures a des conséquences inattendues. Ainsi le soutien inconditionnel des États-Unis à Israël. Le « sionisme chrétien », comme il est baptisé en Amérique. C'est un mouvement en pleine expansion, qui doit peu à la rationalité diplomatique et qui pourtant a envahi toute la sphère politique. Pour certains chrétiens évangéliques, tout est dans les prophéties de la Bible, selon lesquelles, à la fin des jours, les Juifs doivent gouverner Israël et y reconstruire le temple pour rendre possible le retour du Christ sur terre et le triomphe définitif du christianisme. Pour tous, très simplement, les Écritures prouvent que Dieu a donné la Palestine au peuple juif. Il faut donc, pour lui complaire, tout faire pour qu'il en soit ainsi. Avec ce sens du premier degré qui les caractérise, beaucoup d'Américains prennent tout cela au pied de la lettre. Ainsi le prédicateur télévisuel Pat Robertson, dont les audiences se comptent en millions, explique sans rire que si Yitzhak Rabin a été assassiné et si Ariel Sharon a subi une attaque cardio-vasculaire, c'est parce qu'ils avaient divisé la Terre sacrée (en négociant avec les Palestiniens)...

12

LA GUERRE PERMANENTE

C'EST À L'AÉROPORT QU'ON S'EN REND COMPTE pour la première fois. Lorsqu'à intervalles réguliers résonne le message à l'attention des militaires. On s'imagine tout d'abord qu'il se passe quelque chose de particulier. On est presque inquiet. Pourquoi l'hôtesse s'adresse-t-elle aux soldats ? Et puis, très vite, on comprend. Il n'y a aucun danger, c'est juste qu'il existe aux États-Unis deux sortes de passagers, les militaires qu'il convient de traiter avec des égards particuliers, et les autres. C'est ainsi que les soldats sont invités, par exemple, à embarquer en priorité. Qu'en général un salon leur est réservé, même s'ils sont retraités, comme à l'aéroport de Miami. C'est pourquoi l'aéroport de Columbia les accueille à grand renfort d'affiches : « Bienvenue dans l'endroit le plus chaleureux pour les militaires. » Et cela explique aussi que, sur American Airlines notamment, la première chose que vous demande la borne d'enregistrement, c'est si vous êtes membre de l'armée. Tous ces égards n'auraient aucun sens en temps de paix, mais nous sommes dans un pays en guerre. Il faut du temps pour le réaliser pleinement. C'est la grande réussite de la société américaine. Être en guerre permanente sans trop le montrer. On ne peut ignorer que l'Amérique est engagée sur des théâtres étrangers, mais tout cela semble si lointain, presque irréel, abstrait. Personne n'associe le territoire américain à la guerre, or elle est là. Omniprésente. Dans les aéroports, mais aussi dans les rues. Tous ces mendiants, une pancarte à la main, « *Vet* », pour vétéran, écrit en gros sur un bout de carton. Tous ces jeunes hommes, handicapés, anormalement nombreux. Toutes ces publicités à la télévision pour des compagnies d'assurances réservées aux soldats ou ces programmes de solidarité pour venir en aide aux gueules cassées, aux mutilés d'Irak ou d'Afghanistan. La guerre conditionne la vie du pays. On ne comprend rien à l'Amérique si on oublie qu'elle est en conflit permanent depuis des décennies.

La longue guerre de l'Amérique a commencé au lendemain de la Seconde Guerre mondiale. Ce fut la Corée. Un conflit presque oublié, bien qu'il ait fait pratiquement 50 000 morts américains en l'espace de trois ans. Puis ce fut le Vietnam, l'expédition de Panama, l'intervention en Somalie, les engagements semi-clandestins au Salvador ou au Nicaragua. La guerre du Golfe en 1991. Puis l'invasion de l'Afghanistan en 2001. Enfin, celle de l'Irak en 2003. Un conflit jamais fini aux répercussions immenses.

Autant de guerres, autant d'échecs, si on excepte le Panama. La Corée, puis le Vietnam évidemment. La Somalie, que les Américains ont dû fuir et qui, aujourd'hui encore, vit dans l'anarchie. L'Afghanistan, divisé, en grande partie retourné aux mains des taliban. L'Irak enfin, détruit et sur les ruines duquel prospère l'État islamique. Quel bilan ! Soixante ans à vouloir régir le monde. Des milliards de dollars engloutis, des centaines de milliers de morts, civils et militaires. La plus grosse machine de guerre du monde déployée à tout va pour tout régler et qui ne règle jamais rien…

Or, l'Amérique semble n'avoir rien appris de l'histoire. La Corée n'est pas le Vietnam, mais elle lui ressemblait tout de même beaucoup. Les conseillers puis la troupe, le napalm, le soutien à une armée qui s'enlise… À son petit niveau, l'intervention en Somalie a préfiguré les suivantes. L'énorme machine militaire américaine renverse tout et gagne dans un premier temps, puis, comme aucune solution politique viable n'a été pensée pour gérer le pays conquis, le chaos revient et les Américains, dépassés, s'enfuient. C'est ce qui s'est passé à Mogadiscio. C'est, de manière plus ordonnée, ce qui est arrivé à Kaboul. Pas une fuite mais un repli alors que rien n'est consolidé et, en l'espace de quelques mois, le pays qui retombe dans l'anarchie. Que dire enfin de l'Irak ? Une catastrophe dont le monde entier n'a pas fini de mesurer les conséquences.

Ils sont nombreux, à commencer par George W. Bush, à pouvoir en revendiquer la paternité. Mais décernons tout de même une palme spéciale à Paul Bremer, le proconsul américain à Bagdad. Sa première décision en 2003 fut de renvoyer chez eux, sans solde, tous les militaires irakiens au prétexte qu'ils avaient servi sous Saddam Hussein... Un peu comme si de Gaulle avait limogé en 1944 tous les policiers et les fonctionnaires pour faits de collaboration. Ruinés, humiliés, les soldats irakiens se sont massivement reconvertis dans l'insurrection. Ils forment aujourd'hui les cadres de l'État islamique qu'ils ont largement contribué à créer. Cette décision, mélange d'arrogance et d'ignorance, est emblématique des maux qui font la faiblesse de la plus forte armée du monde.

En 2003, *embedded*, incorporé dans la 82e Airborne, la 82e division aéroportée, j'avais observé avec sidération le comportement des parachutistes américains. Alors que la population était prête à les accueillir avec bienveillance, les soldats d'élite se retranchaient dans leurs campements. Plutôt que d'aller chercher des dattes et des tomates au marché, et par là même nouer des contacts avec les populations, ils mangeaient leurs rations infâmes derrière leurs barbelés. Aux parents qui venaient avec leurs enfants malades ou blessés quémander des soins, ils infligeaient une attente humiliante pendant des heures avant éventuellement de faire un geste. Comment mieux se couper d'une population, se rendre détestable, se priver de tout renseignement et de toute compréhension du pays qu'on prétend libérer... Mais l'univers mental du soldat qui n'a jamais quitté son Arkansas natal est certainement trop étroit pour envisager de faire autrement.

L'Amérique, qui n'aime pas les *losers*, les perdants, aime pourtant son armée. Allez comprendre. Elle la glorifie, lui passe tout. Hollywood a inventé le héros absolu, le militaire américain. Si possible membre des forces spéciales. Sniper, Commando Delta, Navy SEAL, libérateur d'otage… Il est bodybuildé, gueule carrée, suréquipé, surarmé, surentraîné. Et il vient toujours à bout du traîne-kalach en guenilles qui incarne le mal. Avec ses lunettes de vision nocturne et ses biceps gros comme des cuisses, à dix contre un, GI Joe écrase le Somalien en tongs pour libérer le « capitaine Phillips » dans le blockbuster du même nom. Sans complexes, l'Amérique applaudit. Malheur aux faibles, dans la vie, au travail, comme à la guerre.

Rien n'est trop beau pour de tels héros, rien n'est trop cher surtout. L'Amérique consacre la moitié de son budget à son armée. Pour 2016, plus de 600 milliards de dollars. En hausse de 4,5 % par rapport à 2015. C'est bien plus que le budget total de la France. C'est également plus que les budgets militaires cumulés des dix pays qui suivent, Russie, Chine, France, Grande-Bretagne, etc.

À un tel niveau de dépenses, l'armée n'est plus une composante de la nation parmi d'autres. Elle écrase tout. C'est le budget militaire d'un pays en guerre. Un pays qui n'a aucun ennemi à ses frontières, qui n'a jamais été envahi, mais qui s'est structuré pour la guerre permanente et préventive. Tout cet argent va aux soldats bien sûr, mais également aux industriels de l'armement. Avec des programmes toujours plus sophistiqués et toujours plus coûteux. Le nouvel avion de combat F-35, par exemple, est d'ores et déjà le programme le plus cher de toute l'histoire militaire. En 2016, il pèse 11 milliards de dollars. Avec tout cet argent public, l'industrie de l'armement produit des armes, mais pas seulement. Elle entretient aussi des milliers de lobbyistes et finance les campagnes électorales...

Les soldats eux-mêmes, qui sont aussi électeurs, ont fini par prendre le pays en otage. La liste de leurs privilèges est édifiante. Leurs salaires augmentent beaucoup plus vite que ceux du civil. À qualification comparable en 2001, le salaire moyen militaire est, en 2016, 15 % supérieur à son équivalent civil. Les militaires ne paient pas de taxe d'habitation. Ils ont accès à des supermarchés subventionnés 30 % moins chers, ce qui coûte environ un milliard par an au contribuable. Ils ont, énorme privilège aux États-Unis, une assurance santé gratuite. La scolarité de leurs enfants est également prise en charge, y compris très souvent leurs études supérieures. À partir de vingt ans de service, le soldat peut prendre sa retraite, ce qu'il fait en général. L'officier type part ainsi à 48 ans et touchera toute sa vie 55 000 dollars par an, tout en continuant à faire ses courses dans les supermarchés subventionnés.

Il est paradoxal de voir que ce sont ces centaines de milliers de superprivilégiés qui forment le rempart du libéralisme. Ils se gardent bien de s'appliquer les valeurs qu'ils défendent. Toucher à leurs avantages acquis est un suicide politique. Le président américain, quel qu'il soit, signe les budgets et reconduit les programmes, toujours plus chers, au détriment de tout autre investissement public, la santé, l'éducation, les infrastructures... Cet effort de guerre ne fait pas débat. L'Amérique s'accommode de ses routes grêlées de nids-de-poule, de ses ponts défectueux, de son système de santé inefficace et injuste, de ses universités hors de prix. Personne ou presque ne remet en cause le coût exorbitant de l'armée. Parce qu'il y a eu le 11-Septembre bien sûr, parce que chaque famille ou presque a quelqu'un sous l'uniforme, mais aussi et surtout parce que la paranoïa est telle qu'une majorité d'Américains est convaincue de vivre sur une ligne de front.

La responsabilité des médias est énorme. Il faut voir le patriotisme idiot des journaux télévisés. Aucun recul, aucun esprit critique. Même les journaux les plus exigeants, comme le *New York Times*, n'ont pas hésité à répercuter les bobards de l'administration Bush sur les armes de destruction massive en Irak. Ils n'avaient pas à l'époque de mots assez durs pour critiquer la position française et la prétendue intransigeance de la presse américaine était étrangement absente... Aujourd'hui, on a parfois l'impression que les présentateurs des journaux télévisés pourraient porter l'uniforme. Un bon journal se termine souvent par un hommage aux vétérans, une remise de décoration, la célébration d'un exploit oublié... Dans ce climat, il suffit qu'un analyste plus ou moins sérieux laisse entendre que le niveau de menace vient d'augmenter pour que toutes les rédactions soient mobilisées. C'est alors un déferlement de reportages sur les mesures de sécurité, une orgie de sirènes, d'uniformes, de maîtres-chiens, une overdose de patrouilles et de contrôles… Le téléspectateur moyen ne peut qu'en ressortir affolé et bien heureux de consacrer la moitié de ses impôts à son armée.

Dans la guerre permanente, pas de planqué, tout le monde est mobilisé. Il en va ainsi des familles d'otages. Depuis que l'État islamique publie les vidéos de ses prisonniers décapités, personne ne peut ignorer le calvaire qu'endurent les otages ou les victimes mais également leurs proches et leurs familles. Diane Foley, la mère de James Foley, ce journaliste américain de 33 ans enlevé en Syrie et assassiné par l'État islamique, fut la première à s'exprimer dans les médias.

« Il était clair que ses ravisseurs voulaient négocier , a-t-elle expliqué au *New York Times*. Il était évident qu'ils voulaient discuter avec les autorités américaines et je ne comprends pas qu'à un niveau ou à un autre, on ne leur ait pas répondu. Ça les a rendus encore plus agressifs. » Diane Foley se souvient des mails qu'elle a reçus de la part des assassins de son fils. Et notamment du dernier, qui commençait par ces mots : « Nous vous avons donné à de nombreuses reprises la possibilité de négocier la libération de votre otage par le versement d'une rançon comme d'autres gouvernements l'ont fait… » Les Foley, lorsqu'ils ont réalisé l'inaction de leur gouvernement, ont bien essayé de tenter quelque chose par eux-mêmes. Ils ont entrepris de rassembler l'argent de la rançon. Las, les agents du FBI assignés à leur cas leur ont clairement fait comprendre qu'il n'en était pas question. Que ce serait un crime et que, s'ils persévéraient, ils tomberaient sous le coup de la loi et seraient traduits devant la justice pour financement d'activités terroristes… On imagine le cauchemar des Foley, contraints par leur propre gouvernement de laisser assassiner leur fils.

Quelques mois après sa décapitation, alors que d'autres otages américains ont subi le même sort, les États-Unis n'hésitent pas à échanger cinq prisonniers de Guantanamo contre le sergent Bowe Bergdahl. L'Amérique ne laisse « personne derrière » explique, martial, Obama. C'est d'autant plus malvenu que Bergdahl est loin d'être un soldat exemplaire ; il semble qu'il ait déserté avant de se faire prendre, mais là n'est pas l'essentiel. La différence de traitement est si criante, si incompréhensible, que la polémique enfle. Dans sa grande mansuétude, le président fait un geste. À l'été 2015, il annonce un changement de doctrine. Les familles d'otages ne seront plus menacées de poursuites judiciaires si elles tentent de sauver les leurs…

Il n'y a pas qu'avec les civils entraînés malgré eux dans la guerre que l'État se montre inhumain. Les vétérans l'apprennent aussi à leurs dépens. Tant qu'ils ont le bon goût de se conduire en héros, tout va bien, mais ensuite, c'est plus compliqué.

Le gros de la troupe est constitué de jeunes hommes qui ont signé un engagement de quelques années, le plus souvent pour des raisons économiques. Démobilisés, de retour au pays souvent perdus, traumatisés, ils découvrent les limites de la solidarité. Depuis 2001, 3,5 millions d'Américains ont été déployés en Irak et en Afghanistan. Chaque année, jusqu'en 2019, 200 000 d'entre eux retourneront à la vie civile. Le ministère chargé des anciens combattants les décrit lui-même comme une « population vulnérable ». Le taux de chômage des vétérans, selon leur tranche d'âge, est de 20 à 40 % plus élevé que dans la population civile. L'Amérique les préfère en héros qu'en voisins ou en collègues de travail. Cela ne suffit pas à expliquer le taux de suicide des anciens combattants, mais cela y contribue. En 2012, 349 vétérans d'Irak ou d'Afghanistan se sont donné la mort. Pratiquement un par jour. Et surtout beaucoup plus que le nombre de soldats tués au combat cette année-là, 229. C'est cela aussi la victoire des insurgés. Cette seconde défaite à domicile que subit l'Amérique. Elle n'en parle pas, elle tente de se la cacher. Le marine tombé à Falloujah est un héros. Celui qui se donne la mort six mois plus tard chez lui, seul, fracassé, est enterré à la va-vite.

Au fil du temps, à travers toutes ces guerres, l'Amérique perd son âme. Le sommet a sans doute été atteint par la création de la prison de Guantanamo et le recours systématique à la torture. Les photos de la prison d'Abou Ghraib en Irak n'ont donné qu'une pâle idée de ce qui a été infligé aux terroristes présumés. Sur l'Amérique et la torture tout a été dit, démenti, sous-entendu jusqu'à ce qu'en 2014 la sénatrice démocrate Dianne Feinstein publie le rapport de la commission d'enquête bipartisane sur la CIA[1] qu'elle dirige. C'est encore pire que ce que les ennemis de l'Amérique avaient imaginé. Cinq années d'investigation, 500 pages de rapport, 6700 pages de documents déclassifiés. Et, au bout du compte, la certitude que la CIA a bel et bien torturé, au-delà de ce qu'elle a avoué au pouvoir politique de l'époque. Pire, contrairement à ce que l'agence a prétendu, ces interrogatoires n'ont été d'aucune utilité. Pas un seul renseignement opérationnel valable arraché par les simulations de noyade, les simulacres d'exécutions, les privations de sommeil, les coups... Enfin, pour ajouter à l'ignominie, ce « programme » a été délégué à des amateurs. On les connaît sous les pseudonymes de Swigert et Dunbar. La société qu'ils avaient créée pour l'occasion a signé pour 180 millions de dollars de contrats avec la CIA. « Seuls » 80 millions seront finalement honorés. Swigert et Dunbar ne se contentaient pas de concevoir les interrogatoires, parfois de les mener eux-mêmes, mais ils en étaient également les évaluateurs pour la CIA, au mépris des règles les plus élémentaires et du bon sens le plus commun.

L'agence a essayé par tous les moyens d'empêcher la publication de ce rapport, allant jusqu'à espionner les membres de la commission d'enquête. Son effet est dévastateur. Un an plus tard, en juin 2015, le Sénat vote un amendement à la

1. *La CIA et la torture. Le rapport de la Commission sénatoriale américaine sur les méthodes de détention et d'interrogatoire de la CIA*, Diane Feinstein, les Arènes, 2015.

loi de défense prévoyant l'abolition de la torture. L'Amérique revient de loin. Dans la foulée du rapport Feinstein, les langues se délient. On découvre à quel point le mal était profond. Ainsi, pour ne citer qu'un exemple, le cas de la respectable American Psychological Association. On apprend qu'elle a collaboré secrètement avec l'administration Bush et la CIA. Lors de réunions clandestines, ses membres les plus éminents aidaient à trouver des définitions «éthiquement» acceptables des pratiques d'interrogatoire de manière à ce que ces tortures puissent devenir «légales».

Barack Obama est souvent dépeint par ses adversaires politiques comme un *reluctant warrior*, un guerrier réticent si l'on peut dire. Ce n'est pas qu'il n'aime pas la guerre, c'est qu'il n'aime pas la faire, ce qui n'est pas la même chose. Obama déteste envoyer les petits gars combattre à des milliers de kilomètres de la maison. L'idée des cercueils qui reviennent, des médailles qu'on épingle sur des coussins, tout cela lui répugne. Mais ce n'est pas un pacifiste pour autant. La force ne lui déplaît pas. Aussi, sans le dire, a-t-il fait évoluer la doctrine.

Tout d'abord, Obama, contrairement à ses engagements de campagne, ne change rien à la sous-traitance de la guerre à des entreprises. En 2008, l'année de son élection, il y a en Irak autant de militaires américains que d'agents de sécurité de sociétés privées. La plus grosse d'entre elles, Blackwater, est au centre d'un des épisodes les plus tragiques de la guerre en Irak. Le 16 septembre

2007, cinq de ses employés, parce qu'ils paniquent dans un embouteillage, ouvrent le feu sans raison sur l'un des ronds-points du centre-ville de Bagdad. Quatorze civils sont tués, dix-sept blessés. Les cinq hommes seront jugés et condamnés aux États-Unis, mais cet incident, qui n'est que le plus spectaculaire d'une longue liste, n'a rien changé au recours massif aux sociétés de mercenaires.

Barack Obama va plus loin. Il revisite la théorie de la guerre zéro mort inventée sous George Bush père pour la guerre du Golfe en 1991. Le meilleur moyen de ne pas avoir de morts, c'est encore de ne pas envoyer de soldats. Obama va utiliser les drones comme personne avant lui.

Sur 500 attaques de drones ordonnées depuis le 11-Septembre, 450 l'ont été par Obama. Certes, la technologie a évolué, mais tout de même. Le drone est la marque de fabrique de Barack Obama. Sa signature. Son efficacité n'est pas discutable. Les risques liés à son utilisation non plus. Les drones causent régulièrement des dommages collatéraux importants, même si les accusations sont évidemment difficiles à vérifier. Cette guerre des drones présente tous les avantages pour le président américain. Pas de risque de pertes, une guerre propre si l'on ose dire, déshumanisée, qui se mène avec des joysticks sur des écrans vidéo, tranquillement assis dans un bunker quelque part aux États-Unis, à des milliers de kilomètres du champ de bataille. Mais parfois, malheureusement, la machine ne peut pas tout faire. Pas question pour autant de réengager la troupe. Obama parie sur les forces spéciales. Des soldats d'élite, capables de tout en théorie et surtout plus faciles à gérer. Pour l'opinion, ces soldats n'existent pas, ou alors seulement au cinéma. Les effectifs de l'infanterie ne cessent de diminuer, de 40000 hommes en 2015, quand ceux des forces spéciales augmentent en proportion.

La technologie alliée aux soldats invisibles, c'est ainsi qu'Obama mène ses guerres. En Afghanistan, au Yémen, en Irak, en Syrie. Des drones, des bombardements aériens, des forces spéciales dont on ignore tout et même souvent si elles sont réellement déployées. Aux États-Unis, le président est aussi le « commandant en chef », tout comme en France le président de la République est le chef des armées. Sauf qu'en Amérique, cela a un sens car des guerres, ils en ont tous mené, et plus que jamais depuis une quinzaine d'années. C'est un critère de choix essentiel pour les candidats à la présidentielle. Feront-ils ou non de bons *commanders in chief*? Les journalistes leur posent la question en ces termes. Les candidats se définissent eux-mêmes comme cela : en tant que commandant en chef, je ferai ceci, cela... Si la candidate est une femme, la question se posera pour une partie de l'électorat avec encore plus d'acuité.

Obama aura-t-il été un bon commandant en chef ? Tout se joue en Irak et en Syrie. La situation est si dégradée et l'État islamique si menaçant qu'après avoir retiré tout le monde, le chef de la Maison Blanche est contraint de renvoyer des conseillers en Irak. Lentement mais sûrement, leur nombre augmente. De quelques centaines à quelques milliers… Certains y voient la répétition du syndrome vietnamien, l'engrenage fatal vers le réengagement. Barack Obama se défend, « *No boots on the ground* », pas de troupes au sol. Il jure qu'il tiendra bon. Ses conseillers, ses officiers doutent, mais tous sont d'accord sur un point. Cette guerre sera longue.

13

LA FIN DE LA DÉMOCRATIE ?

C'EST PEUT-ÊTRE LE TEMPLE du mauvais goût, dans une ville où pourtant la compétition est rude. Il y a un bassin de béton qui se prend pour le grand canal. Un Rialto tout de stuc et de toc. À l'intérieur, faux marbre, faux ors, fausses fontaines. Seules les machines à sous sont d'origine. Cet empire du synthétique et de la contrefaçon se nomme The Venetian. C'est l'un des plus grands hôtels-casinos de Las Vegas et donc du monde. C'est là que son propriétaire, Sheldon Adelson, reçoit. En ce mois de mars 2015, il a convoqué les candidats à l'investiture républicaine qui lui paraissent crédibles. La course est à peine lancée et Adelson souhaite déterminer qui sera digne de profiter de sa fortune. Il organise donc en quelque sorte des primaires privées, un grand oral à plusieurs dizaines de millions de dollars. Tous ces politiciens chevronnés ont dirigé des États, convaincu des millions d'électeurs, voté des lois, mais ils sont maintenant de petits garçons devant le magnat des casinos. Pour séduire Sheldon Adelson, il faut, sans surprise, vanter les valeurs les plus conservatrices du Parti républicain. Mais la vraie raison qui a poussé le milliardaire à s'engager en politique et à y engloutir une partie de sa fortune est ailleurs. C'est le soutien inconditionnel à Israël, ou plutôt à sa droite la plus extrême. Ses invités le savent. En 2012, lors de la précédente campagne présidentielle, Sheldon Adelson avait jeté son dévolu sur Newt Gingrich, qu'il avait financé à hauteur de plusieurs dizaines de millions de dollars. Personne ne pouvait l'ignorer en entendant les déclarations surréalistes du candidat, selon lesquelles le peuple palestinien était une « invention » ou bien la promesse que son premier acte de politique étrangère, une fois élu, serait de déplacer l'ambassade des États-Unis de Tel Aviv à Jérusalem…

Ils ont beau le savoir et être, par ailleurs, de fervents soutiens d'Israël, Jeb Bush et Scott Walker se font sermonner par le milliardaire, qui les trouve un peu tièdes. Mais celui qui fait l'erreur fatale, c'est Chris Christie, le gouverneur du New Jersey, un des républicains les plus expérimentés. Dans un moment d'inattention, il emploie le mot « territoires occupés » pour désigner la Cisjordanie. Si le terme est adéquat et figure dans tous les documents internationaux, il est en revanche parfaitement insupportable pour Sheldon Adelson, dont la conception d'Israël s'étend bien au-delà de ses frontières actuelles. Chris Christie, qui à ce moment-là croit encore à son destin présidentiel, voit s'envoler les millions et s'éloigner la Maison

Blanche. Le jour même, dans la foulée de sa bourde, il demande audience. Il s'excuse, se renie. Adelson, bon prince, dit qu'il comprend mais préférera tout de même en financer d'autres…

Cette petite fable illustre à quel point, en quelques années, la politique américaine est devenue dépendante de l'argent. La dernière grande campagne pour la présidentielle, en 2012, mais aussi, comme à chaque fois aux États-Unis, pour le Congrès, a coûté plus de 6 milliards de dollars. En 2008, elle n'en avait coûté « que » 5. En 2014, pour les élections législatives de mi-mandat, les partis et les candidats ont investi 4 milliards, 10 % de plus que quatre ans auparavant. Et on sait déjà que la campagne 2016 battra tous les records, au-delà des 7 milliards de dollars. À titre de comparaison, Nicolas Sarkozy et François Hollande, à eux deux, n'ont pas dépensé 45 millions d'euros pour se disputer l'Élysée…

Comment trouver autant d'argent ? Les candidats y passent un temps fou. Une fois élus, ils ne sont pas sereins pour autant. Il y a la prochaine échéance, qui arrive toujours vite aux États-Unis, deux ans pour la Chambre des représentants, quatre pour tout le reste. Il y a le parti pour lequel il faut bien faire du *fund-raising*. Tout le monde s'y met. Barack Obama a très souvent déserté la Maison blanche pour honorer de sa présence des dîners payants au profit du Parti démocrate. Ces événements sont parfaitement légaux. Ils sont inscrits à l'agenda officiel. On sait qui y participe, combien il faut débourser pour un couvert, etc. Il faut donc convaincre les milliardaires, payer de sa personne dans les rencontres publiques et… séduire les petits donateurs.

C'est un des plus grands mythes de la vie publique américaine. L'illusion que chaque citoyen compte, qu'avec son don de quelques dizaines ou centaines de dollars, il contribue à la bonne marche de la démocratie. À chaque élection présidentielle, c'est le même scénario. Les outsiders se vantent de la multitude de petits dons individuels qu'ils reçoivent. Ils y voient la preuve d'un soutien populaire qui va tout emporter. Les médias s'enthousiasment, font semblant d'y croire, analysent le phénomène. Puis le petit candidat se désintègre, laminé par la machine de guerre du favori qui, à coup de millions de dollars, déroule toute la puissance de son marketing électoral, publicités télévisées, campagnes d'e-mails personnalisés, démarchage ciblé des électeurs, etc.

Le financement, le vrai, celui qui compte, c'est l'affaire des « super PAC », PAC pour Political Action Committee. C'est la plus belle invention jamais trouvée pour dénaturer la politique. Il faut reconnaître que Barack Obama et les démocrates ont tenté, en vain, de s'y opposer.

Le PAC est un monument d'hypocrisie. C'est une organisation reconnue d'intérêt général, dont les contributions financières sont donc déductibles des impôts, qui peut investir en politique pour défendre des idées ou même soutenir des candidats, à condition de ne pas avoir de liens organiques avec leur campagne. En théorie, cela signifie que le PAC qui va payer les publicités télévisées d'Hillary Clinton ou de Marco Rubio, qui va commander des sondages, organiser des campagnes d'e-mails ou de presse doit le faire sans aucune coordination avec l'état-major du candidat. Une supercherie à laquelle plus personne ne fait semblant de croire. Les candidats eux-mêmes ne font pas l'effort de sauver les apparences. À la tête des super PAC, ils placent leurs plus fidèles lieutenants. Ainsi apprend-on officiellement début 2015, par exemple, que Mike Murphy, qui a toujours été le bras droit de Jeb Bush en politique, a « décidé de ne pas rejoindre la campagne », non, il part diriger « Right to Rise », le super PAC du candidat… Les sommes que ces super PAC peuvent récolter et investir sont illimitées depuis une décision de la Cour suprême de 2010, alors que les dons directs aux candidats ne peuvent excéder 5 400 dollars, 2 700 pendant les primaires et autant dans la dernière ligne droite.

Qui donne à ces super PAC ? Tous ceux qui veulent, mais surtout les riches. Pour les autres, le plafond des dons directs est bien suffisant. Mais même à ce niveau, ceux qui comptent réellement sont peu nombreux. Une enquête remarquable du *New York Times* démontre qu'à mi-chemin environ de la campagne pour les primaires, 158 familles ont contribuées, à elles seules, à la moitié du financement total des candidats. Cette concentration est surtout vraie dans le camp républicain. La sociologie de ces familles est évidemment homogène. Beaucoup d'entre elles ont fait fortune dans la finance. Elles habitent les mêmes banlieues pour milliardaires de quelques grandes villes. Bel Air ou Brentwood à Los Angeles,

River Oak à Houston ou encore Indian Creek Village, une île privée près de Miami, trente-cinq villas autour d'un golf protégées par une milice privée. C'est une classe sociale à part qui émerge. Minuscule mais tellement plus puissante que les millions de petits donateurs…

Les super PAC sont tenus à un minimum de transparence. En théorie, ils doivent rendre publics les noms de leurs contributeurs. Dans la pratique, il existe des astuces pour s'en dispenser, au moins le temps de la campagne. Mais ce n'était pas suffisant pour ceux qui veulent peser en tout anonymat. Ainsi, depuis quelques années, voit-on grandir en importance ce qu'on appelle l'« argent gris » ou l'« argent de l'ombre ». C'est une niche fiscale qui permet à des associations à but non lucratif, reconnues d'intérêt général, d'avoir des activités politiques à condition que celles-ci ne dépassent pas 49 % de leur activité globale. En contrepartie, l'anonymat total est garanti aux donateurs. L'argent investi ainsi s'est approché des 200 millions de dollars aux élections de mi-mandat de 2014. Il devrait largement dépasser ce niveau en 2016 et profiter essentiellement aux républicains.

Certains donateurs sont peu préoccupés de leur anonymat, tels les frères Koch, Charles et David, deux septuagénaires. Ils dirigent le conglomérat familial, Koch Industries, spécialisé dans l'énergie. Charles et David sont sixième *ex aequo* au classement Forbes des plus grandes fortunes mondiales. Leur patrimoine oscille, selon les années et au gré des cours de Bourse, autour de 40 milliards de dollars. Chacun, cela va sans dire. S'ils ne se cachent pas, les frères Koch restent discrets. Ils évitent les médias, refusent les interviews. On ne les voit pas non plus dans les grandes occasions sociales. Ils dirigent leur empire depuis le fief familial de Wichita, dans le Kansas, et sont certainement les acteurs individuels les plus influents de la vie politique américaine.

Les frères Koch ont regroupé un certain nombre de fonds et d'associations en tous genres dans un organisme, Freedom Partners, les « partenaires de la liberté ». C'est une sorte de *hub*, d'où ils distribuent l'argent qui leur permet d'influer sur la vie publique américaine. Pour 2015-2016, Freedom Partners a prévu d'investir pratiquement un milliard de dollars, dont 300 millions directement dans la politique… Cet argent est majoritairement le leur, mais quelques centaines de donateurs, qui partagent leurs convictions, contribuent également à la fortune des « partenaires de la liberté ».

Avec un tel trésor de guerre, les frères Koch pèsent autant que tout le Parti républicain. Ils en sont pratiquement les faiseurs de roi. Ou plutôt les défaiseurs. Ce sont eux qui ont créé le Tea Party au début de la présidence Obama, au risque de faire éclater le camp républicain. S'ils n'en ont pas inventé l'idéologie, sans leur argent, cette aile extrémiste n'aurait jamais pu engranger tous ses succès électoraux et peser comme elle le fait sur la ligne politique.

Les frères Koch sont un mélange étonnant d'anarchisme de droite, de conservatisme absolu et de libéralisme total. Dans le paysage politique américain, ils sont la synthèse entre les libertariens, une sorte d'anarchisme de droite, et la droite des républicains. Ainsi pensent-ils le plus grand mal de Washington, des syndicats, des lois sociales, de l'administration et de tout ce qui, de près ou de loin, ressemble à une contrainte réglementaire. Mais cette détestation les amène aussi, par exemple, à ne pas s'opposer au mariage gay, même s'ils évitent de communiquer sur ce genre de sujet… Au bout du compte, l'idéologie assez basique des frères Koch et de leurs amis a été bien résumée par Marc Short, le président de leur Freedom Partners : « Notre but ultime est de mettre au cœur de la société américaine les idéaux du marché et de la libre entreprise. La politique est un moyen incontournable pour y parvenir »… À l'instar de Sheldon Adelson, mais avec plus de moyens encore, les frères Koch organisent eux aussi leurs primaires privées. Cinq prétendants à l'investiture ont trouvé grâce à leurs yeux en 2015 : Scott Walker, Jeb Bush, Ted Cruz, Marco Rubio et Rand Paul le libertarien. Sans surprise, les cinq plus radicaux de la quinzaine de candidats.

Il ne faudrait pas croire que les républicains ont le monopole du financement électoral. Il serait naïf de penser que l'argent est à « droite » et la vertu à « gauche ». Cette grille de lecture, républicain égale droite et démocrate égale gauche, couramment appliquée en France, est d'ailleurs assez peu pertinente. Quoi qu'il en soit, les démocrates se débrouillent très bien. Ils ont, eux aussi, leurs milliardaires. George Soros est de ceux-là, ainsi que Tom Steyer, un ancien patron de fonds d'investissement. C'est lui qui fit même, aux élections de mi-mandat de 2014, le plus gros chèque de toute la campagne : 73 millions de dollars. Et puis les démocrates savent aussi faire preuve de créativité, à l'instar de leur championne, Hillary Clinton. Durant le premier trimestre des primaires, d'avril à juin 2015, elle a battu tous les records en levant directement 45 millions de dollars. Jusqu'à six fois par semaine, et parfois plusieurs fois par jour, la candidate paraît dans des dîners, des réceptions, où, pour 2700 dollars, le plafond autorisé, les généreux donateurs peuvent lui serrer la main, se faire photographier à ses côtés.

Tout cet argent est-il investi dans le seul but de faire triompher des idées ? C'est le joli conte démocratique auquel semble croire l'Amérique. La « petite maison dans la prairie » électorale. Dans les faits – ô surprise ! – les donateurs attendent tous un retour sur investissement. Jeb Bush le confirme, peut-être involontairement, lorsqu'il suggère aux contributeurs de son PAC de ne pas dépasser un million de dollars au motif que… personne ne peut être corrompu pour un petit million…

Dans les faits, chaque donateur estime qu'il a droit à quelque chose. Le dîner, même le dîner d'État, ou bien, honneur suprême, la nuit dans la chambre de Lincoln, ne suffisent plus. L'argent a pris une telle place, les sommes sont si énormes, que les contributeurs exigent d'être entendus. Parfois longtemps encore après la campagne. C'est ce qui est arrivé à John McCain, le candidat républicain malheureux à l'élection présidentielle de 2008. Six années plus tard, en 2014, McCain, alors sénateur, glisse à la dernière minute un cavalier législatif dans la loi sur le budget de la défense. Il s'agit d'autoriser l'exploitation minière d'un lieu dénommé Oak Flat, à une heure environ de Phoenix, en Arizona. L'amendement, insignifiant en apparence, et que personne n'a le temps d'examiner, est voté. Malheureusement pour McCain, Oak Flat, ce n'est pas qu'une petite parcelle de forêt ordinaire. C'est une terre sacrée pour les Apaches de la tribu de San Carlos. C'est là qu'ils organisent depuis toujours leurs cérémonies d'initiation. Depuis 1953 et un décret du président Eisenhower, cette terre est protégée et interdite à l'exploitation minière. Le président Nixon, en 1971, a renouvelé l'interdiction. Sitôt la nouvelle connue, les Indiens manifestent et mobilisent la presse, pour le plus grand malheur du sénateur.

Quelle mouche a piqué John McCain, héros du Vietnam, politicien unanimement respecté, y compris chez ses adversaires ? L'explication, hélas, tiendrait au dos d'un chèque. La compagnie qui exploite les environs et qui guigne Oak Flat depuis longtemps est une société australo-britannique, Resolution Copper Mining. C'est une filiale du géant Rio Tinto, qui a été un des gros contributeurs de la campagne de McCain en 2008. Voila comment, six ans après avoir perdu les élections, un des hommes politiques réputés les plus intègres perd cette fois son honneur en étant bien obligé de régler sa dette...

L'argent achète les élections, dicte sa loi aux élus. Il est à la manœuvre pendant les périodes électorales, mais en dehors aussi. Le système américain le permet. C'est parfois anecdotique, comme lorsque l'industrie du porno investit plus de 300 000 dollars pour essayer de torpiller un projet de référendum local à Los Angeles sur le port du préservatif pendant les tournages. C'est parfois beaucoup plus sérieux, comme pendant les négociations sur le nucléaire iranien. L'Amérique est divisée. Schématiquement, les démocrates soutiennent la conclusion d'un accord et les républicains s'y opposent. Mais le sujet est sensible. La sécurité d'Israël fait partie de l'enjeu et un certain nombre de démocrates vont voter avec les républicains. Le scrutin s'annonce serré. À quelques voix près, Obama peut être censuré par le Congrès. Ce serait plus qu'une défaite, une catastrophe, une tache indélébile sur un bilan déjà mince. Les deux camps vont se déchaîner jusqu'à la dernière minute. En faveur de l'accord, George Soros et Haim Saban notamment, deux des grands milliardaires démocrates. Ils peuvent aussi compter sur la puissance de J Street, le lobby pro-israélien modéré favorable à la paix. En face, deux contributeurs principaux, Sheldon Adelson, toujours lui, et Paul Singer, et puis l'AIPAC, l'American Israel Public Affairs Committee, l'aile droite pure et dure des groupes de pression pro-israéliens. Les deux camps vont engloutir des dizaines de millions de dollars dans la bataille, essentiellement en publicités négatives à la télévision et en campagnes de presse pour tenter d'influencer l'opinion et les parlementaires. Pour ce seul enjeu, la démocratie américaine aura dépensé plus d'argent que toute une campagne présidentielle française...

La première conséquence de ce déferlement d'argent sur la vie politique, c'est qu'aucun parti ne peut émerger aux côtés des deux grands. Voilà les Américains condamnés à choisir entre démocrates et républicains. Du reste, les deux partis alternent au pouvoir dans un ballet bien réglé. Aucun d'entre eux n'a jamais occupé la Maison Blanche plus de deux mandats consécutifs. C'est un jeu stérile qui est proposé tous les quatre ans aux électeurs. Ils ne s'y trompent pas et s'y intéressent de moins en moins. Le taux de participation faiblit à mesure que la détestation de Washington grandit dans l'opinion. Environ 60 % de votants pour les élections présidentielles, entre 30 et 40 % pour les législatives (36 % en 2014), alors même que le Congrès joue aux États-Unis un rôle considérable, sans commune mesure avec celui du Parlement français. Pour la plus grande démocratie du monde, qui ne parle que d'exporter son modèle, au besoin jusqu'en Afghanistan, ce n'est guère brillant. Certains citoyens s'en émeuvent. On entend même des voix s'élever pour réclamer que le vote soit obligatoire.

Sur ce mépris de la politique, on voit fleurir de drôles de candidats. Lors des primaires républicaines pour l'élection de 2016, les deux hommes qui font longtemps la course en tête ne sont pas des politiques ; ce sont deux candidats antisystème, le milliardaire Donald Trump et le chirurgien Ben Carson. Trump, qui a bien compris le malaise, fait de sa fortune son premier argument électoral. Je suis si riche, dit-il en substance aux électeurs, que je n'ai besoin de personne pour financer ma campagne, je suis en quelque sorte le seul candidat incorruptible. Quant à Ben Carson, il promet, tout comme Trump, d'en finir avec Washington. Les Américains apprécient son calme, sont impressionnés par sa réputation professionnelle et son parcours personnel, de la pauvreté au succès. Peu importe qu'il dise… n'importe quoi. Par exemple que les pyramides ont été construites par Joseph pour faire office de greniers à grains, ou bien que si les juifs d'Europe avaient été armés, à l'instar des Américains aujourd'hui, Hitler n'aurait pas pu mettre en œuvre la solution finale. Le niveau du débat politique est si lamentable que ces deux individus peuvent sérieusement faire campagne, être invités dans toutes les émissions politiques, développer leurs idées aux heures de grande écoute sur toutes les chaînes et au final être pris très au sérieux.

Ils ont malgré tout peu de chance d'être élus, cette fois-ci en tout cas, mais rien ne dit qu'un candidat de ce type ne finira pas un jour par emporter la course à la Maison Blanche. Une chose est sûre en attendant, le président élu en 2016, le président à plus de 7 milliards de dollars, ce président-là sera, plus qu'aucun autre avant lui, redevable aux quelques milliardaires qui lui auront offert la Maison Blanche.

14

HUIT ANS POUR RIEN ?

QUE RETIENDRA-T-ON DES DEUX MANDATS de Barack Obama ? L'homme qui ne voulait pas qu'on se souvienne de lui uniquement comme du premier président noir des États-Unis a-t-il gagné son pari ? A-t-il laissé un héritage politique qui, au-delà du symbole de sa personne, aura marqué l'histoire du pays ?

Le 8 novembre 2008, tout est exceptionnel. Non seulement un Afro-Américain accède à la Maison Blanche, mais de quelle manière ! Quelques mois auparavant, Barack Obama est encore pratiquement inconnu de ses concitoyens. Il est sénateur de l'Illinois. C'est son premier mandat national. Autant dire qu'il n'a guère d'expérience et que personne, probablement pas même lui, ne peut imaginer ce qui va se passer.

Barack Obama, à l'issue de primaires d'une grande violence, défait Hillary Clinton. C'est pourtant l'une des politiciennes les plus chevronnées du camp démocrate soutenue par l'establishment. Son nom, son mari sont populaires. Elle-même, il est vrai, inspire un peu moins de sympathie et elle sous-estime probablement, mais comment lui en faire le reproche, cet outsider. Sa défaite aux primaires prend tout le monde de court. Hillary Clinton éliminée, commence le combat final. Barack Obama se retrouve face à John McCain. C'est un héros de l'Amérique. Un homme sympathique aux états de service indiscutables. Ancien pilote de chasse, abattu au-dessus du Vietnam, prisonnier, torturé. Sénateur de l'Arizona depuis toujours. Il incarne le parti républicain dans ce qu'il a de meilleur. Fidèle à ses valeurs mais sans jusqu'au-boutisme. Bref, le candidat idéal.

Mais entre le jeune Noir inconnu de 47 ans et le héros admiré de tous, l'Amérique va choisir le premier. Et sans hésiter. Avec 69,5 millions de voix, Barack Obama est le président le mieux élu de toute l'histoire des États-Unis. Mieux que George W. Bush en 2004, pourtant porté alors par les attentats du 11-Septembre et la conquête de l'Irak.

Dans la foulée, les démocrates enlèvent le Sénat et la Chambre des représentants. Leur victoire est sans appel : 258 sièges contre 177 à la Chambre. Soixante sénateurs sur cent ! C'est-à-dire assez pour se garantir contre toute manœuvre dilatoire des républicains.

Bref, Barack Obama a toutes les cartes en main et il sait qu'il en sera ainsi pendant les deux années à venir, jusqu'aux prochaines élections de mi-mandat. Voilà donc un président magnifiquement élu, comme personne avant lui, qui a reçu de la part des Américains un mandat clair et les moyens de le mettre en œuvre.

L'attente est énorme. Dans le choix d'Obama, il y a bien sûr le poids des minorités coalisées et le rejet des républicains, que George W. Bush vient d'incarner de manière si déplaisante pendant huit ans. Mais il y a aussi la volonté évidente d'en finir avec une caste de politiciens. Une envie de moderniser le pays après sept années de guerre et de repli sur soi. Barack Obama incarne tout cela. Il a promis tout cela…

Avec lui, une Amérique réconciliée avec elle-même va entrer dans une ère postraciale. Avec lui, la justice sociale va triompher. Il promet de réformer le système de santé, d'améliorer le sort des plus vulnérables. La crise qui pointe son nez lui donnera l'occasion, c'est certain, d'assainir Wall Street… Obama président, c'en sera fini de Guantanamo, ce symbole de l'arbitraire et de la torture qui fait honte aux États-Unis. Dans la foulée, il va mettre fin aux guerres d'Afghanistan et d'Irak. Ramener les *boys* au pays, effacer les images indignes des prisonniers d'Abou Ghraib. Et puis, pourquoi s'arrêter en si bon chemin ? Obama fera la paix dans le monde. Il commencera par le Proche-Orient. C'est si évident que les sages d'Oslo lui décernent le prix Nobel de la paix dès 2009, sans même attendre les résultats qui, hélas, ne viendront jamais…

L'Amérique veut y croire, le monde entier veut y croire. L'homme a un charme fou, une élégance dans le verbe et dans le geste qui donne confiance. Toute sa campagne, il l'a faite sur la promesse du changement. « *Change we can believe in* », « *Change we need* ». Le changement, nous pouvons y croire, nous avons besoin du changement ! Voilà ce que l'on peut lire sur ses affiches de campagne électorale. Et puis il y a ce slogan, « *Yes we can* », qui annonce forcément des lendemains d'action…

La presse veut y croire aussi. « Change has come to America » barre la une de *Time Magazine*, le changement est arrivé en Amérique. « Racial barrier falls in decisive victory », la barrière raciale est tombée avec cette victoire décisive, croit deviner le *New York Times*… À l'étranger, c'est la même pâmoison. Jusqu'à la caricature en France avec le quotidien *Libération*, qui titre, en anglais s'il vous plaît, « We have a dream ».

Huit années ont passé et il faut bien se rendre à l'évidence : le rêve ne s'est pas réalisé.

Barack Obama ne va pas mettre à profit ces deux années exceptionnelles qui s'offrent à lui. De 2008 à 2010, il a les coudées franches. Il pourrait faire pratiquement ce qu'il veut. Mais il va temporiser, s'enliser. Est-ce par manque d'expérience ? Est-ce parce qu'il est tétanisé par l'enjeu ? Est-ce parce qu'il se dit que lui, le premier président noir de l'histoire des États-Unis, doit en faire plus que ses prédécesseurs, donner davantage de gages ? Bref, fait-il, même de manière inconsciente, un complexe d'illégitimité ? Toujours est-il que, alors qu'il pourrait agir avec l'appui des parlementaires démocrates, il ne va cesser de rechercher le consensus, l'accord bipartisan. Il va multiplier les ouvertures en direction des républicains, guetter leur assentiment, parier sur leur bonne volonté. Il n'obtiendra rien !

Ces deux premières années perdues sont le péché originel de la présidence Obama. Les six années suivantes vont s'enliser dans une guerre sans fin avec un parti républicain lui-même miné de l'intérieur par sa dissidence extrémiste, le Tea Party.

Sur le plan intérieur, le bilan est bien mince. Il faut être juste avec Obama, la « grande récession » qui s'abat sur les États-Unis le place dans une situation difficile. Son plan de relance de près de 800 milliards de dollars, son sauvetage de l'industrie automobile et des banques, ont probablement évité le pire au pays, même s'il s'est trouvé des voix pour trouver ce plan trop timide. Mais sur le plan social, quel marasme ! L'Amérique sort de la crise en 2011 avec un nombre de pauvres et un niveau d'inégalités jamais atteints. Aucune mesure sociale d'envergure ne vient soulager cette misère. Le plan destiné à sauver les propriétaires immobiliers, les victimes directes de la crise des subprimes, échoue lamentablement. Cinq millions de personnes sont censées être concernées, un million à peine percevront quelque chose.

À partir de 2010, c'en est fini de l'innocence. Le Congrès est perdu. Le Sénat demeure démocrate mais la Chambre, elle, est républicaine. Barack Obama a à peine commencé à bâtir ce qui doit être la pierre angulaire de sa présidence, la réforme du système de santé, qu'il entre en cohabitation. Dès 2012, le Sénat à son tour bascule dans le camp républicain. Non seulement le message envoyé par les Américains est clair, mais, techniquement, chaque projet, chaque réforme devient un casse-tête procédural. Il faut inventer une majorité introuvable, édulcorer les textes pour leur donner une chance... Le projet d'origine de réforme du système de santé, ambitieux, s'étiole au fil des épreuves. Les combats d'arrière-garde menés par tous les opposants, jusqu'à la Cour suprême, achèvent de le dénaturer. Il n'empêche, une vingtaine de millions d'Américains qui n'avaient pas de couverture-santé sont désormais protégés. Rien que pour cela, cette réforme doit être considérée comme un succès. Mais plus globalement, elle a raté son objectif initial et, aujourd'hui encore, elle demeure mal comprise et mal acceptée par une majorité d'Américains.

C'est sur le terrain sociétal qu'Obama est le plus à l'aise. Il va déployer une énergie considérable pour légaliser le *same-sex marriage*, c'est-à-dire le mariage homosexuel abusivement traduit en France par mariage pour tous. C'est l'Amérique « libérale », l'Amérique moderne ouverte sur le monde, contre l'Amérique du repli, celle qui, selon la formule même du président nouvellement élu, « s'accroche à ses armes et son église ». La légalisation du *same-sex marriage* va diviser le pays comme peu de sujets avant elle, mais Obama tiendra bon. Soutenu par l'intelligentsia, les donateurs de Wall Street et d'Hollywood. C'est une victoire, une des rares qui ne souffre pas de discussion. Sur le reste, Obama tente mais échoue. Les armes notamment. Il est sincère, il s'engage, mais il ne parviendra même pas à ramener le pays au niveau de contrôle, pourtant bien mince, qui prévalait sous Bill

Clinton. Il aurait fallu agir plus tôt, quand le Congrès était démocrate…

Le plus frappant, c'est la question raciale. La tension avec la communauté noire n'a jamais été aussi forte, dans l'histoire récente, que sous les deux mandats du premier président afro-américain. Les violences policières et les scènes d'émeute ramènent le pays cinquante ans en arrière, quand les États du Sud, dans un ultime sursaut de violence, essayaient de défendre leurs lois ségrégationnistes. Il serait bien sûr injuste de faire porter à Obama seul la responsabilité de cette dégradation. Mais il ne peut s'en exonérer totalement non plus. Et, là aussi, le manque de fermeté de son administration dirigée par Eric Holder, le premier ministre noir de la Justice, à l'égard des forces de police n'a rien arrangé. Ce qui est certain, c'est que l'Amérique postraciale ne figure pas au bilan d'Obama. C'est même plutôt l'inverse…

Mais c'est sur la scène internationale que le président américain va le plus décevoir. Aussi bien ses concitoyens que les pays alliés.

Barack Obama a promis à ses électeurs d'en finir avec l'Afghanistan et l'Irak. Il va s'y employer, mais à quel prix. Le 18 décembre 2011, le dernier convoi américain quitte l'Irak. Une centaine de véhicules et un demi-millier d'hommes de la première division de cavalerie. Ils laissent derrière eux une poignée de soldats pour protéger l'ambassade et assurer des stages de formation auprès de l'armée irakienne. Ce retrait n'a pas la saveur du travail accompli. L'Irak, que les *boys* abandonnent plus qu'ils ne le quittent, est au bord de l'effondrement. Nouri al-Maliki, le Premier ministre chiite qui a souhaité le départ des Américains, a davantage œuvré à dresser les communautés les unes contre les autres qu'à reconstruire le pays. Dans ces conditions, était-il judicieux de partir ? La question se pose dès 2011 avec acuité. Mais aujourd'hui, elle résonne tragiquement. Sitôt les Américains déguerpis, un monstre protéiforme occupe le terrain. Un mélange contre nature d'islamistes sunnites, qui veulent en finir avec la mainmise chiite du gouvernement al-Maliki, et de cadres de l'ancienne armée de Saddam Hussein. Ensemble, ils jettent les bases de l'État islamique.

En Afghanistan, c'est le même scénario ou presque. L'Amérique se retire, laisse quelques milliers d'hommes derrière elle et ne peut que constater le retour en force des taliban, jusqu'aux portes de Kaboul.

Pendant qu'il déserte les champs de bataille où son prédécesseur a fourvoyé l'Amérique, Barack Obama ne voit pas monter le chaos en Syrie. À l'été 2013, le pays a encore un avenir. Une opposition multiforme semble prête à porter le coup définitif à Bachar el-Assad. Il y a là bien sûr des islamistes, notamment ceux du Front al-Nosra, franchise locale d'al-Qaida, mais il y a aussi des groupes modérés, voire démocratiques, qui incarnent l'espoir d'une Syrie rejoignant le concert des nations. Avec une sauvagerie dont son père, Hafez, aurait été fier, Bachar se bat pour sa survie et celle du clan alaouite. Il enlève, torture, fait bombarder sa population. Il utilise même les gaz. Les premiers témoignages puis les images, insupportables, affluent de victimes civiles étouffées, brûlées… Pour Barack Obama, comme pour le monde entier, c'est une ligne rouge. Sous la pression de l'opinion, le président américain fixe un ultimatum. Une fois la preuve apportée par les Nations unies qu'Assad a bien utilisé les gaz, s'il récidive, l'Amérique et avec elle un certain nombre de nations, dont la France, bombarderont les troupes gouvernementales. Fin août 2013, c'est le moment de vérité. Assad a de nouveau eu recours aux armes chimiques, les preuves sont accablantes. La France et les États-Unis sont prêts à bombarder. À quelques heures d'entrer en action, Obama fait marche arrière. Avec un mépris total, les Français sont prévenus à la toute dernière minute, alors que les avions sont prêts, l'armement embarqué, les pilotes briefés. Obama a soudain pensé qu'il ne fallait pas ajouter la guerre à la guerre. Cette décision, il l'a prise seul, contre l'avis à peu près unanime de ses conseillers. Elle sera immédiatement interprétée dans toutes les capitales, de Moscou à Damas en passant par Ryad ou Téhéran, comme une immense preuve de faiblesse. Mais elle traduit peut-être pire que cela, une infirmité, celle du *reluctant warrior*…

Les conséquences en tout cas sont immenses. En août 2013, une Syrie démocratique est encore possible. Trois années plus tard, le pays n'existe plus et sur ses décombres prospère l'État islamique. Il est né en Irak, à la faveur d'une mauvaise gestion et d'une mauvaise appréciation de la situation par l'administration Obama. Il a grandi en Syrie à l'ombre d'une lâcheté politico-militaire du président lui-même.

Avec une bonne conscience invraisemblable, Obama s'en lave les mains. « Ça ne l'intéresse pas », avoue Susan Rice, sa conseillère pour les questions de sécurité, à un diplomate si surpris qu'il le répète…

Pour la galerie, Obama fait mine d'être très ferme. Il prend la tête d'une coalition et engage une campagne de frappes aériennes contre l'État islamique en Irak et en Syrie. On sait aujourd'hui que, au moins jusqu'à la fin de 2015, plus de la moitié, voire les trois quarts, des avions revenaient sans avoir largué leurs bombes. La consigne était d'éviter tout dommage collatéral. Il suffisait qu'un civil puisse être potentiellement victime du raid pour que celui-ci soit annulé. C'est ainsi que les camions citernes de l'État islamique, qui chaque jour allaient livrer leur cargaison de pétrole en Turquie, étaient épargnés au motif que le chauffeur était un civil… Après les attentats de Paris du 13 novembre 2015, on est passé de un à quatre civils potentiellement victimes pour qu'une frappe soit annulée…

L'objectif affiché par les Américains est de détruire l'État islamique. Dans la réalité, l'opération est dimensionnée pour le contenir, le cantonner au territoire syrien, dont la Maison Blanche a définitivement fait son deuil. La crise des réfugiés qui, fin 2015, déferlent sur l'Europe et les attentats revendiqués ou commis au nom de l'État islamique en France et aux États-Unis vont obliger Obama, bien malgré lui, à s'engager un peu plus. Les frappes s'intensifient, un peu. Quelques centaines, moins de trois cents, membres des forces spéciales sont déployés en Irak et en Syrie. Rien qui semble à la hauteur du problème et Barack Obama fait peu à peu l'unanimité contre lui, à l'étranger mais surtout aux États-Unis. Une majorité d'Américains, malgré le traumatisme de l'Irak et de l'Afghanistan, estime que les États-Unis doivent faire plus. Et notamment qu'ils doivent engager des soldats au sol.

Pendant que Barack Obama atermoie, Poutine avance. L'annexion de la Crimée et la déstabilisation de l'est de l'Ukraine sans véritable réaction américaine ont déjà porté un sérieux coup à la crédibilité du président américain. Sa gestion calamiteuse de la crise syrienne ouvre un boulevard à Vladimir Poutine, qui ne laisse pas passer l'occasion.

Fin 2015, l'armée russe, alors qu'elle est exclue du Proche-Orient depuis des lustres, débarque avec armes et bagages en Syrie. Plus exactement dans le pays alaouite, pour voler au secours du soldat Assad. Lattaquié devient sa base arrière, d'où elle entend mener en toute autonomie ses opérations commandos et ses raids aériens. Les Russes distribuent généreusement leurs coups à toute l'opposition, les islamistes comme les modérés. Le monde entier, et Obama le premier, est mis devant le fait accompli. Jusqu'à présent, Assad ne survivait que grâce au soutien iranien. Avec les Russes à ses côtés, il se voit de nouveau un avenir, même s'il n'est qu'à court terme. Un axe Téhéran-Moscou vient de se créer, en l'espace de quelques mois, dans le vide sidéral laissé par le désintérêt et le manque de vision du président américain. Toute la région est déstabilisée. À commencer par les monarchies du Golfe, qui voient avec horreur l'ennemi chiite prospérer à leurs frontières sous le regard impuissant du protecteur américain.

Quel bilan ! On a le sentiment que l'Amérique s'est retirée du monde. Mais sans même oser le dire. Ce n'est pas le retour de la doctrine du splendide isolement, discutable mais cohérente, non, là il s'agit plutôt d'une sorte d'effacement, davantage subi que décidé. À deux exceptions près peut-être, la normalisation des relations avec Cuba – mais n'est-elle pas davantage le fruit de l'histoire et du temps qui passe que d'une volonté politique ? – et la conclusion d'un accord avec l'Iran sur le nucléaire.

Pour expliquer ses échecs, Obama ne peut systématiquement se retrancher derrière l'hostilité du Congrès. Certes, celui-ci l'a empêché, par exemple, de fermer la prison de Guantanamo, mais que ne l'a-t-il fait avant 2010 ? Et puis les présidents américains ont un outil constitutionnel à leur disposition pour gérer les majorités parlementaires d'opposition. Cela s'appelle l'« Executive Order ». Une sorte de décret présidentiel. Barack Obama est, de tous les présidents, celui qui y a eu le moins recours : 184 fois fin 2015, contre 291 fois pour George W. Bush et 364 fois pour Bill Clinton durant leurs huit années de mandats respectifs. En ce début 2016, soucieux d'améliorer son bilan, Obama se réveille. Il se décide enfin à prendre quelques décrets, notamment sur la question des armes. Il entend ainsi systématiser la vérification du passé judiciaire et psychiatrique des acheteurs. Ce n'est certes pas inutile, mais absolument pas à la hauteur du problème.

Faible à l'extérieur et faible à l'intérieur, Obama a parfois, malgré tout, des sursauts d'autorité là où on ne l'attend pas. Les Latinos l'ont vérifié à leurs dépens.

Pendant chacune de ses campagnes, il a beaucoup promis aux 11 millions de clandestins arrivés d'Amérique centrale, qui vivent et travaillent aux États-Unis, notamment dans les États frontaliers. Mais une fois élu, il a fait volte-face. Là aussi, il y a gagné un surnom : « Deporter-in-Chief ». « Expulseur en chef ». Obama a fait mieux que tous ses prédécesseurs. Il a battu, et de loin, le record de George W. Bush. Avec 358 000 expulsés en 2008, le républicain apparaît un peu mou comparé aux 438 000 d'Obama en 2013 ou même aux 414 000 de 2014…

Le président Obama a battu pendant son second mandat le record d'impopularité d'un président américain. Il n'a pourtant certainement pas été le plus mauvais des présidents, mais aura-t-il été, finalement, autre chose que le premier président noir ?

15

L'AMÉRIQUE DE DONALD

Au départ, beaucoup l'ont trouvé distrayant et bien peu l'ont pris au sérieux. Tous ceux-là ont ensuite guetté sa perte. Inéluctable et proche, selon eux. Puis est arrivé le moment où il a bien fallu se rendre à l'évidence. « Le » Donald, comme l'appellent les Américains, a sa chance. Il ne fait plus rire du tout. Il semble, en ce début d'année 2016, capable de remporter l'investiture républicaine et donc, pourquoi pas, l'élection présidentielle…

Tout a été écrit sur Donald Trump. On sait qu'il a fait fortune mais qu'il n'est pas parti de rien, comme il aime à le laisser croire ; qu'il a en fait hérité de l'empire immobilier de son père. On sait que ses affaires, certes importantes, ne sont pas aussi prospères qu'il le prétend. On ne sait plus si ses cheveux sont vrais ou faux. Le bon sens voudrait qu'il s'agisse d'une perruque mais il fait monter sur scène pour vérifier, à chaque meeting, des admiratrices qui jurent qu'ils sont authentiques. Alors, allez savoir... Ce qui est certain en revanche, c'est qu'il dit fréquemment des énormités et qu'il insulte régulièrement des pans entiers de la société, les femmes ou les Latinos et plus récemment, les musulmans.

Ce qui est acquis aussi, c'est qu'il plaît. Et c'est cela l'important. Donald Trump parle à l'Amérique. Pas à toute l'Amérique bien sûr, mais ils sont très nombreux à se reconnaître en lui, à le prendre au sérieux, et cela nous dit quelque chose de l'état du pays.

Trump n'est pas un politicien. C'est la première fois qu'il se présente à une élection. L'Amérique, certes, a déjà élu un acteur. Ronald Reagan. Mais il avait auparavant été gouverneur de Californie et avait, avant cela encore, dirigé le syndicat des acteurs, témoignant par là d'un intérêt véritable pour l'action publique.

Trump, lui, n'a jamais occupé la moindre fonction élective. Avec beaucoup d'intelligence, il campe l'homme ordinaire lassé des joutes politiciennes et de l'impuissance de Washington. Trump, c'est l'Amérique qui déteste la politique. Pire, qui la méprise. Il faut voir avec quelle morgue il fixe ses challengers républicains lors des débats. Dans son regard, on sent que Jeb Bush ou Ted Cruz ne pèsent pas lourd et, pour tout dire, qu'ils ne valent pas grand-chose. La moitié de l'Amérique exulte. Elle aimerait, comme lui, pouvoir dire en face à Jeb Bush qu'il est un peu mou. Elle voudrait tant river leur clou à tous ces sénateurs endimanchés.

Avec cette propension un peu dérisoire a tout ramener à l'Hexagone, bon nombre d'observateurs français ont voulu voir en Trump un Le Pen américain. Mais Trump n'est pas cela. Il incarne avant tout l'homme de la rue fatigué de voir son pays en difficulté. Il redonne du courage aux victimes des deux guerres, celles d'Irak et d'Afghanistan, et de la grande récession. Trump, ce n'est pas le parti de la peur et du repli sur soi. Trump, c'est le rêve américain ressuscité, du moins veut-il le faire croire. C'est une ode à l'esprit d'entreprise et de conquête. C'est un plaidoyer pour le risque. Trump ne s'adresse pas à ses concitoyens en leur promettant un salaire minimum réévalué ou la retraite à 60 ans. Bien au contraire. Et pour bien faire passer le message, il ne cesse de vanter sa réussite personnelle et de mettre en avant sa fortune. Il faut le voir descendre de son hélicoptère ou de son Boeing privé, son nom inscrit en lettres d'or sur la carlingue de l'appareil. Dans quel autre pays un « populiste » pourrait-il se prévaloir d'aimer autant l'argent ?

Trump secoue le pays. Il abolit le politiquement correct qui étouffe l'Amérique depuis des décennies, et cela plaît. Il supprime les intermédiaires, tous ces *middle men* qui cisèlent les discours des candidats, pèsent au trébuchet ce qu'il faut dire et penser et aseptisent la parole politique au point qu'elle devient inaudible. Avec Trump, pas de spécialiste des sondages, d'apparatchiks, de porte-parole. Trump, le super communicant, parle directement aux gens et emploie des mots qu'ils croyaient perdus. Trump appelle un Latino un Latino et son public adore. Et n'allez pas croire qu'il est ringard. Trump a 5,6 millions de followers sur Twitter, autant qu'Hillary Clinton ; 5,2 millions de Facebook Likes, trois fois plus que son concurrent Ted Cruz, et près de 850 000 fans sur Instagram, très loin devant tous ses adversaires…

Faut-il que le camp républicain soit en panne et ses électeurs désorientés pour qu'un tel personnage fasse ainsi la course en tête des sondages pendant des mois ! Ni les jeunes loups du parti, Marco Rubio ou Ted Cruz ne trouvent la parade. Quant aux patriciens comme Jeb Bush ou Chris Christie, ils ont préféré jeter l'éponge. « Le » Donald va peut-être finir par s'effondrer, mais il est probable qu'il ne le devra qu'à lui-même et pas à la pugnacité de ses adversaires. En attendant, comme Barry Goldwater en 1964, il fait sonner l'air de la révolte au sein du Parti républicain.

Face à lui, pour mener la danse chez les démocrates, Hillary Clinton. Une revenante. La battue de 2008. À près de 70 ans, embourbée dans le scandale de sa boîte mail personnelle utilisée pour ses échanges officiels comme secrétaire d'État, elle tente de faire croire qu'elle incarne l'avenir. Pour pallier son manque de popularité, Hillary appelle à la rescousse son mari, Bill. Un homme au charisme fou mais physiquement diminué, usé et pourtant censé donner l'enthousiasme qui fait défaut à la campagne de sa femme…

Pour lui disputer l'investiture démocrate, Bernie Sanders, un sénateur de 74 ans. Et encore a-t-on échappé de justesse à la candidature du vice-président, Joe Biden, 73 ans… Dans n'importe quelle organisation, un pareil constat amènerait à une sérieuse remise en question…

Les Américains, accablés par leur classe politique, désertent. Selon l'institut de sondages Gallup, quatre sur dix se déclarent en ce début 2016 « indépendants », c'est-à-dire non affiliés à l'un des deux partis traditionnels qui gouvernent l'Amérique depuis toujours. C'est un record historique. Donald Trump, qui court pour l'instant sous les couleurs républicaines mais a d'ores et déjà annoncé son intention de faire sécession si le parti le traite mal, est le grand bénéficiaire de cette fracture entre le peuple et ses représentants traditionnels. Il en est le pur produit.

L'Amérique de Donald nous sidère par son simplisme et sa brutalité. Quel que soit l'avenir de son champion dans les urnes, elle apparaît comme l'ultime avatar d'un pays qui s'éloigne de nous.

TABLE DES MATIÈRES

L'exemplaire que vous tenez entre les mains a été rendu possible grâce au travail de toute une équipe.

Mise en page : Dominique Guillaumin (In Folio)
Couverture : Guillaume Prieur
Révision : Laurence Rizet et Nathalie Sawmy
Fabrication : Marie Baird-Smith avec Isalyne Avenel
Commercial : Pierre Bottura
Communication : Isabelle Mazzaschi avec Adèle Hybre
Relations libraires : Jean-Baptiste Noailhat
Rue Jacob diffusion : Élise Lacaze (direction), Katia Berry (grand Sud-Est), François-Marie Bironneau (Nord et Est), Charlotte Knibiehly (Paris et région parisienne), Christelle Guilleminot (grand Sud-Ouest), Laure Sagot (grand Ouest) et Diane Maretheu (coordination), avec Christine Lagarde (Pro Livre) Béatrice Cousin et Laurence Demurger (équipe Enseignes), Fabienne Audinet et Benoît Lemaire (LDS), Bernadette Gildemyn et Richard Van Overbroeck (Belgique), Nathalie Laroche et Alodie Auderset (Suisse), Kamel Yahia et Kimly Ear (Grand Export).
Distribution : Hachette
Droits France et juridique : Geoffroy Fauchier-Magnan
Droits étrangers : Catherine Farin avec Laurence Zarra
Envois aux journalistes et libraires : Patrick Darchy
Librairie du 27 rue Jacob : Ariane Geffard
Accueil du 27 rue Jacob : Fadéla Hassani
Comptabilité et droits d'auteur : Christelle Lemonnier avec Camille Breynaert

Achevé d'imprimer en France par CPI Bussière à Saint-Amand
Montrond (Cher) en juin 2016.